UNE SURPRISE
POUR ANNE-MARIE
Quatre gardiennes fondent leur club

Titres de la collection

LES BABY-SITTERS

30

UNE SURPRISE POUR ANNE-MARIE
Quatre gardiennes fondent leur club

Ann M. Martin

Adapté de l'américain par
Nicole Ferron

EH Héritage jeunesse

Données de catalogage avant publication (Canada)

Martin, Ann M., 1955-
Une surprise pour Anne-Marie
(Les Baby-sitters; 30)
Traduction de : Mary Anne and the great romance.
Pour les jeunes.

ISBN 2-7625-7178-2

I. Titre. II. Collection : Martin, Ann M., 1955-
Les baby-sitters; no 30.

PZ23.M37Su 1992   j813'.54   C92-097001-X

Conception graphique de la couverture : Jocelyn Veillette

Mary and the Great Romance
Copyright© 1990 by Ann M. Martin
publié par Scholastic Inc., New York, N.Y.

Version française :
©Les Éditions Héritage Inc. 1992
Tous droits réservés

Dépôts légaux : 4e trimestre 1992
Bibliothèque nationale du Québec
Bibliothèque nationale du Canada

ISBN : 2-7625-7178-2   Imprimé au Canada

LES ÉDITIONS HÉRITAGE INC.
300, Arran, Saint-Lambert (Québec) J4R 1K5
(514) 875-0327

À IRS

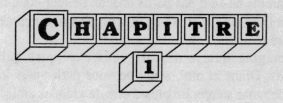

CHAPITRE 1

— Vraiment, la vie avec ma mère ressemble parfois à la vie avec un tout petit enfant, fait Diane.

Je pouffe de rire.

Diane est une de mes deux meilleures amies ; nous passons la soirée chez elle parce que nos parents sont sortis. Ce que Diane veut dire, c'est que sa mère est distraite et étourdie comme c'est pas possible. Je peux me permettre de le mentionner parce que c'est Diane elle-même qui ne cesse de le répéter.

Encore là, Diane vient de trouver une chaussure à talon haut dans le tiroir à légumes du réfrigérateur. Elle la prend, la dépose délicatement sur le plancher et lui dit :

— J'espère que tu vas te réchauffer bien sagement.

Elle se tourne ensuite vers moi.

— Qu'est-ce que tu veux pour souper, à part des chaussures ? Maman a préparé un plat de tofu — je suis d'ailleurs étonnée qu'elle ne l'ait pas mis dans la penderie —, mais j'ai l'impression que ça ne te tente pas beaucoup.

— As-tu du beurre d'arachide ? demandé-je.

— Oui, mais il est naturel, sans sucre et sans sel ajoutés.

— J'en prendrai.

C'est mieux que du tofu. Je me prépare un sandwich au miel et au beurre d'arachide pendant que Diane se fait une salade. On commence à avoir l'habitude de ces soirées. Nos parents ne sont pas partis chacun de leur côté, ils sont sortis *ensemble*. Ça arrive de plus en plus fréquemment ces derniers temps.

J'imagine que je devrais vous expliquer qui nous sommes, Diane et moi, avant de vous parler plus longuement de notre soirée. En plus d'être de grandes amies, nous habitons Nouville, nous avons toutes deux treize ans et sommes en secondaire II. Je m'appelle Anne-Marie Lapierre. J'ai toujours vécu à Nouville, dans la même maison, mais Diane n'est arrivée ici que l'an dernier, à la suite du divorce de ses parents. Son père habite toujours en Californie! La raison pour laquelle madame Dubreuil est venue à Nouville avec Diane et son frère Julien, c'est qu'elle y a été élevée.

Une des choses les plus tristes (je veux dire à part le divorce et le déménagement), c'est que Julien n'a jamais été heureux ici. Il ne pouvait pas s'adapter à Nouville et, après un certain temps, il est retourné vivre en Californie. L'absence de son père et de son frère affecte beaucoup Diane, mais elle leur parle souvent au téléphone et elle semble maintenant heureuse à Nouville.

Diane vit donc avec une mère et pas de père, et moi avec un père et pas de mère (la mienne est morte lorsque j'étais bébé). Le jour même de leur installation à Nouville, une chose très amusante est arrivée. En défaisant les malles de la famille, Diane est tombée sur le journal des diplômés du collège de sa mère. Elle a donc regardé la photo de sa mère. Puis elle a cherché la photo de mon père puisqu'elle savait

8

qu'ils avaient fréquenté tous deux le même collège. Et quelle ne fut pas notre surprise de découvrir que nos parents étaient amoureux l'un de l'autre, il y a des années de ça !

Mais *leurs* parents — en fait, les grands-parents de Diane — n'approuvaient pas cette relation. Voyez-vous, ils étaient très riches alors que les Lapierre ne l'étaient pas, (ce qui n'a pas empêché papa de réussir son barreau et de devenir un avocat prospère).

Les grands-parents de Diane ont donc encouragé leur fille à aller à l'université en Californie (le plus loin possible de papa), et mon père et la mère de Diane ont finalement suivi des routes différentes. Ils se sont mariés chacun de leur côté, et je crois qu'avec le temps, ils en vinrent à oublier leur amour de jeunesse.

Puis, Diane et moi les avons fait se rencontrer de nouveau et ils ont recommencé à se voir. Au début, les choses allaient plutôt lentement. Papa est un homme réservé, timide, qui n'a pas fréquenté de femmes depuis des années (pas depuis qu'il sortait avec ma mère), et il ne voulait pas brusquer les choses. La mère de Diane n'avait pas non plus envie d'aller trop vite. Mais elle adore être fréquentée de nouveau. Elle est très ouverte. Pendant longtemps, elle est sortie avec cet affreux type que Diane et son frère détestaient et qu'ils avaient surnommé Thédo. Elle est aussi sortie avec d'autres hommes. (C'est surtout qu'à son travail, on lui organisait toutes sortes de rencontres parce qu'on la savait seule.)

Tout ce temps-là, cependant, elle et mon père se sont vus plusieurs fois, mais, maintenant, ils ne sortent que tous les deux. Et ils sortent *souvent* ! C'est pourquoi Diane et moi passons fréquemment des soirées ensemble. À vrai dire, nous adorons ça !

— Allons manger devant la télé, suggère Diane. Tu sais ce qu'il y a au câble, ce soir?

— Quoi?

— Un festival de vieux films.

Diane raffole des vieux films.

— Ah oui?

— Il y aura *Le Piège à parents*, *L'Histoire sans fin*, *Mary Poppins* et beaucoup d'autres.

— Mais ça va prendre des heures!

— Je le sais. Un bon dix heures, si on compte les pauses commerciales.

— Quand le festival commence-t-il?

— Tout de suite! Apportons nos plateaux.

C'est une des choses que j'aime chez Diane: nous pouvons manger ailleurs que dans la cuisine ou la salle à manger. Chez nous, il y a des tas de règles. Papa était très sévère avant, mais depuis que j'ai vieilli, il s'assouplit un peu. Mais il ne me permettrait jamais de manger devant la télé.

J'apporte donc mon sandwich et une banane dans la salle de séjour, et Diane, sa salade de pois chiches et de fèves germées, et nous nous installons devant l'appareil. Après une heure, nous en avons assez. Le premier film est *Le Piège à parents* et même si nous l'aimons beaucoup toutes les deux, nous l'avons vu récemment.

— Trop c'est trop, de dire Diane.

— Oui. Faisons autre chose.

Nous nettoyons d'abord, même si madame Dubreuil ne remarque jamais si c'est propre, puis nous montons dans la chambre de Diane.

Un fait intéressant à propos de cette chambre: il y a un *passage secret* dans un des murs.

Vous voulez la vérité? Ce passage secret m'effraie à mort.

On doit d'abord appuyer sur une moulure située dans le mur, puis le panneau s'ouvre. Si on s'y aventure, on se retrouve dans un couloir sombre qui mène à une volée de marches, passe sous la cour des Dubreuil et aboutit à une trappe dans le plancher de leur grange.

Je dois dire ici que la maison de Diane est très vieille. C'est une maison de ferme construite vers 1795. Beaucoup de gens y ont habité au fil des années (et y sont peut-être morts), et il y a quelqu'un en particulier, Alfred Meunier, dont on aurait entendu la voix venant du passage secret — mais qu'on n'a jamais revu par la suite. Cela fait des années et des années, et Diane et moi avons de bonnes raisons de croire que le fantôme d'Alfred hante toujours le passage. Alors, naturellement, cet endroit me terrifie. Vous voyez à quel point je suis mauviette.

Diane adore ce passage secret. (Elle considère qu'il lui appartient en propre puisqu'une des extrémités aboutit dans sa chambre.) Elle l'aime surtout parce qu'elle adore les histoires de fantômes, et qu'elle en a une vraie de vraie à la portée de la main.

Mais pour en revenir à notre soirée, je m'assois le plus loin possible du passage, par terre près de la porte de la chambre, d'où je pourrai battre en retraite si une plainte se fait jamais entendre de l'autre côté du mur.

Diane tente de me distraire en me racontant l'histoire d'un petit garçon qu'elle gardait en Californie et qui croyait que les animaux pouvaient le comprendre aussi bien que les humains. Il parlait à son chien de cette façon:

— Viens, Bijou, voilà un autre biscuit pour toi. Ils sont bons pour tes dents. Ils enlèvent le tartre et tu n'auras pas de gingivite. Les visites au vétérinaire sont aussi très importantes, tu sais. Et puis, tu ferais mieux de bouger un peu si tu ne veux pas devenir obèse.

J'écoute Diane d'une seule oreille. Je pense à ma propre maison et à ma chambre. Puisque j'y ai vécu ma vie entière, je m'y suis toujours sentie en sécurité... et encore plus dans mon lit.

Je suis bien contente de ne pas avoir de passage secret qui s'ouvre dans ma chambre.

Je commence aussi à m'ennuyer de Tigrou, mon petit chat. Il me manque toujours lorsqu'il n'est pas avec moi, quand je suis à l'école ou quand je garde...

Dring, dring.

— Oh! Le téléphone! s'exclame Diane.

Diane adore recevoir des appels. Elle court jusqu'à l'appareil de l'étage et je la suis.

— Allô? fait-elle. Julien! Salut! Comment vas-tu?... Oui! Vraiment? C'est merveilleux.

Diane met la main sur le combiné et me dit:

— Julien fait maintenant partie d'une équipe de base-ball. Il est presque l'étoile du groupe.

Puis, elle retourne à sa conversation.

— Quoi?... Anne-Marie est ici... Oui, maman et son père sont encore sortis ensemble... Quoi? Ils sont allés souper et ils doivent ensuite voir un film au cinéma... Oui.

Diane parle un certain temps, et mon esprit se met à vagabonder. Je me dis que ma vie a beaucoup changé depuis l'an dernier. Les rencontres de papa avec madame Dubreuil y sont pour beaucoup, bien entendu, mais il y a aussi le fait que papa est un peu moins sévère. Finalement, il y a le Club des baby-sitters. C'est peut-être la chose la plus importante de toutes.

Le club est composé de sept membres: Diane, Sophie Ménard, Claudia Kishi, Marjorie Picard, Jessie Raymond, Christine Thomas, la présidente du club et mon autre meilleure amie, et moi.

Et savez-vous ce qui arrive? Juste au moment où Diane raccroche et que je pense à Christine, le téléphone sonne de nouveau. Devinez qui c'est.

Christine!

Elle appelle pour savoir si nous sommes ensemble, Diane et moi, et ce que nous faisons. Elle garde et, comme les enfants dorment déjà, elle se sent un peu seule.

Je commence à penser au temps où Christine et moi étions les plus grandes amies du monde...

CHAPITRE 2

Jusqu'à l'été dernier, et du plus loin que je me rappelle, Christine et moi habitions deux maisons voisines dans la rue Soulanges. (Claudia Kishi habite en face.) Christine et moi étions pour ainsi dire inséparables, même si nous avons des personnalités tout à fait différentes. Nous sommes toujours les meilleures amies du monde, sauf que quelques petites choses ont changé. D'abord, Diane a emménagé à Nouville et est devenue mon autre amie, surtout depuis que nos parents sortent ensemble ; ensuite, Christine est déménagée à l'autre bout de la ville après que sa mère s'est remariée.

Ça commence peut-être à avoir l'air confus, aussi je vais d'abord vous parler des membres du Club des baby-sitters. Ainsi que je l'ai déjà précisé, Christine en est la présidente. Comme Diane et moi, elle a treize ans et est en secondaire II, mais sa famille est assez spéciale. Elle a trois frères : Sébastien et Charles qui vont au collège, et David qui n'a que sept ans. Lorsque David était encore petit, monsieur Thomas est parti de la maison et n'est jamais revenu. Madame Thomas a alors pris les choses en main et s'est trouvé du travail pour élever ses quatre enfants. Puis, quand Christine est entrée au secondaire, madame Thomas a commencé à fréquenter Guillaume Marchand, un millionnaire. Ils se sont finalement mariés, même si Christine ne voulait rien savoir. Elle détestait l'idée d'avoir un autre père, surtout un qui devenait lentement chauve. Mais Guillaume a deux adorables enfants, Karen, six ans, et André, quatre ans, et Christine s'est lentement réconciliée avec l'idée du mariage et celle d'aller habiter dans le manoir de Guillaume. Personnellement, j'adorerais vivre dans un manoir, mais en même temps je peux aussi comprendre qu'on ne veuille pas quitter la maison où l'on a grandi. De toute façon, c'est une bonne chose que Christine demeure dans une grande maison, parce que sa famille est maintenant très élargie. Il y a ses frères, son beau-père, sa mère et, une fin de semaine sur deux, Karen et André. De plus sa famille a récemment adopté Émilie, une petite Vietnamienne, et sa grand-mère Nanie est allée habiter avec eux pour s'occuper du bébé puisque Guillaume et la mère de Christine travaillent tous les deux.

Voici ce qu'il convient de savoir concernant Christine : elle est un peu garçon manqué et entraîne les Cogneurs, une équipe de balle molle pour les petits. Elle a des cheveux et des yeux bruns et est la plus petite de la classe. Ne se souciant guère de son apparence, elle porte toujours la même chose : un jean, un col roulé et un lainage (quand il ne fait pas trop chaud), et des chaussures de course. Quelquefois, elle se coiffe d'une casquette décorée d'un colley. Sa famille possédait autrefois un magnifique vieux colley, Bozo, mais il est tombé malade et on a dû mettre fin à ses jours. Ils ont maintenant un berger de Berne, Zoé, et Bou-Bou, un vieux chat qui appartient à Guillaume.

Quelques autres petits détails au sujet de Christine : elle a une grande langue, c'est-à-dire qu'elle peut rarement s'empêcher de dire ce qu'elle pense. Elle a souvent de très bonnes idées (l'idée du club lui appartient), et plus important, elle est fantastique avec les enfants.

Claudia Kishi est la vice-présidente du club. Je pense souvent à quel point il est étrange qu'après avoir grandi ensemble, Claudia, Christine et moi soyons devenues des personnes si différentes. Claudia est une des filles les plus décontractées que je connaisse. Elle a un sens artistique qui s'étend à ses vêtements, à ses cheveux et à son allure générale. Ce que je veux dire c'est que Claudia est une artiste formidable — elle peut peindre, dessiner, sculpter, faire des collages, n'importe quoi — et tous ces talents se reflètent dans son apparence. Elle porte toujours des vêtements très originaux. Par exemple, à notre dernière réunion, elle avait une tunique rose passée par-dessus un chemisier blanc imprimé de petits parapluies roses et jaunes. La tunique était serrée à la taille par une large ceinture jaune fermée par une boucle de plastique rose. Elle portait aussi des collants noirs et des chaussettes jaunes.

Et que dire de ses cheveux ! Les parents de Claudia sont de race asiatique et elle a hérité d'une longue chevelure noire et brillante qu'elle coiffe de mille et une façons. La dernière fois, par exemple, elle avait natté ses cheveux en cinq tresses, retenues chacune par des rubans roses et jaunes. Claudia a aussi des yeux sombres et bridés, et un teint de pêche.

Claudia habite avec ses parents et sa soeur Josée, un véritable génie. Cette fille est tellement brillante que même si elle est encore au secondaire, elle prend des cours au collège de Nouville. Mimi, la grand-mère de Claudia, qui était une vieille dame exceptionnelle et faisait partie de la famille, est décédée récemment. Ce fut une bien triste perte.

Voici ce que Claudia aime par-dessus tout : les arts, les friandises et les romans policiers. Sa chambre est un véritable fouillis parce que son matériel traîne dans tous les coins. Et comme ses parents n'approuvent ni les friandises, ni les suspenses qu'elle lit, elle doit les cacher là où ils ne seront pas découverts. Et voici ce que Claudia déteste par-dessus tout : l'école. Elle est très intelligente, mais ses professeurs soutiennent qu'elle ne s'applique pas assez. Monsieur et madame Kishi lui ont finalement signifié que si elle voulait demeurer membre du Club des baby-sitters, elle devrait conserver une moyenne respectable. Elle fait donc des efforts.

En ce qui me concerne, je suis la secrétaire du club, et vous en savez déjà passablement à mon sujet. Je suis un peu timide ; mon père sort avec la mère de Diane ; j'habite avec mon père et Tigrou, et Diane et Christine sont mes meilleures amies. J'ai perdu ma mère lorsque j'étais un bébé et j'ai grandi dans la maison où je suis née.

Voici quelques petites choses que vous ne savez pas de moi : je *ressemble* un peu à Christine. J'ai les yeux et cheveux bruns, moi aussi, et j'étais de petite taille, mais j'ai commencé à grandir. Je suis même un peu plus grande que Christine. Jusqu'à tout récemment, je ne me souciais pas trop de ma tenue vestimentaire. Pour parler franchement, disons plutôt que c'est mon père qui choisissait pour moi des tuniques et des jupes à carreaux et j'avais l'air d'un vrai bébé. Mais depuis qu'il est plus souple, il me laisse choisir les vêtements que j'aime. Je n'ai rien de l'élégance

17

de Claudia, mais je m'achète parfois des choses très chouettes. Si on devait donner un dix à Claudia pour son sens de la mode, Christine aurait un deux, et moi un six, peut-être même sept.

Autre chose : je suis très sensible. Cela a des bons et des mauvais côtés. Ça me rend plus compréhensive avec les autres. Mes amies du club se confient souvent à moi lorsqu'elles ont des problèmes parce qu'elles savent que je vais les écouter, sympathiser avec elles et parfois même les conseiller, mais sans jamais les juger. D'être sensible comporte par ailleurs certains inconvévients parce que je pleure pour un rien. Je suis affreusement sentimentale et c'est probablement à cause de ça que je suis la seule du club à avoir... un petit ami ! Pensez-vous ? *Moi*, j'arrive à peine à y croire. Il s'appelle Louis Brunet et il vient du Nouveau-Brunswick. Il fait partie de notre club, mais j'expliquerai ça plus tard.

Assez parlé de moi.

On arrive à Sophie Ménard, la trésorière du club. Sophie vient de Toronto et elle est à peu près aussi décontractée et sophistiquée que Claudia. C'est peut-être pourquoi toutes deux sont de grandes amies. Si Claudia obtient un dix pour la mode, Sophie a certainement un neuf et demi. Elle porte aussi des vêtements tape-à-l'oeil, mais elle n'a pas le sens artistique de Claudia. (Ai-je mentionné que Claudia fabrique souvent ses propres bijoux ? Elle utilise la céramique pour se faire des boucles d'oreilles ou des bracelets.) Sophie n'éprouve aucune attirance pour les arts, mais ses cheveux blonds sont permanentés, et ses oreilles percées. (Au cas où vous ne le sauriez pas, Claudia a un trou dans une oreille et deux dans l'autre ; Sophie, Marjorie et Jessie ont aussi les oreilles percées normalement ; Diane a deux trous dans chaque oreille. Christine et moi avons

18

juré de ne jamais nous faire percer les oreilles. Cette seule pensée me donne le frisson.)

Sophie a eu une vie assez mouvementée. D'abord, elle souffre de diabète, une maladie où l'organisme ne produit pas assez d'insuline pour contrôler le taux de sucre dans le sang. Ça semble peut-être anodin, mais ça *peut* avoir de *graves* conséquences. Sophie doit se faire elle-même, chaque jour, des injections d'insuline et suivre une diète très sévère. Ce qui veut dire qu'elle ne peut pas manger certains aliments (surtout pas de sucreries), et elle doit prendre un certain nombre de calories chaque jour. Elle doit aussi retourner régulièrement chez le médecin et vérifier ses urines tous les jours. C'est fort contraignant, mais il faut ce qu'il faut. Si Sophie ne fait pas toutes ces choses, elle peut se retrouver en plein coma.

Sophie est donc née à Toronto et elle y a vécu jusqu'au début de son secondaire. Son père a alors eu une promotion qui les a amenés à Nouville, mais un peu plus d'un an après, il a été rappelé à Toronto. Quel malheur! Sophie a beaucoup manqué aux filles, surtout à Claudia. Cependant, peu de temps après le retour de la famille Ménard à Toronto, voilà que les parents de Sophie décident de divorcer. Puis, la pire chose (pour Sophie) est arrivée. Son père est resté à Toronto à cause de son travail, mais sa mère a préféré revenir à Nouville. Sophie a donc dû décider où elle voulait vivre. Ses parents lui ont laissé le choix. C'en était un des plus difficiles. Sophie ne voulait faire de chagrin ni à son père ni à sa mère, et elle aimait autant Toronto que Nouville. Finalement, elle a résolu de revenir à Nouville, mais elle retourne *souvent* visiter son père.

Sophie n'a ni frères, ni sœurs, ni animal de compagnie. Elle est cependant très près de sa mère.

Bon, c'est au tour de Diane. C'est la suppléante de notre club. (J'en reparlerai plus tard.) Vous connaissez déjà un peu Diane. Ses parents sont divorcés; son père et son frère habitent la Californie; les parents de sa mère demeurent à Nouville; madame Dubreuil sort avec mon père; Diane et moi sommes de grandes amies et elle habite une vieille maison de ferme qui possède un passage secret.

Voici à quoi ressemble Diane: elle a les plus longs et les plus blonds cheveux du monde. Ils sont doux comme de la soie et de la couleur du blé. Ses yeux sont bleus et elle est grande et mince. Diane est très individualiste. Elle s'habille comme ça lui plaît et elle mange des aliments naturels et jamais de viande. Elle subit rarement l'influence des gens. Diane rend visite à son père et à son frère lorsqu'elle le peut, mais je sais qu'ils lui manquent beaucoup tous les deux. Moi, je pense qu'elle devrait avoir un petit animal.

Les deux derniers membres du club, les membres débutants, sont Jessica Raymond (Jessie pour les intimes) et Marjorie Picard. Alors que Diane, Sophie, Claudia, Christine et moi sommes en secondaire II, Marjorie et Jessie ne sont encore qu'en sixième année. Elles ont toutes deux onze ans. Ce sont de grandes amies, et comme toutes les grandes amies, elles se ressemblent de différentes façons et sont aussi dissemblables de certaines autres. Leurs parents ne sont pas divorcés, et chacune d'elles est l'aînée de sa famille. C'est difficile d'être l'aînée, je crois, et Marjorie et Jessie veulent grandir plus vite que leurs parents ne le désirent — même si dernièrement elles ont eu la permission de se faire percer les oreilles. Elles adorent toutes deux la lecture, surtout les histoires de chevaux. Je sais qu'elles aiment bien Barbara Morgenroth qui a écrit *Charlie l'impossible*.

Chacune des familles possède un hamster.

Les différences entre Jessie et Marjorie sont, première-ment, que Marjorie est blanche et Jessie, noire. Deux-ièmement, Marjorie porte des un appareil dentaire. Puis, il y a leur famille. Celle de Marjorie est démesurée. Elle a *sept* frères et soeurs, incluant des triplets identiques. Jessie n'a qu'une soeur de huit ans, Becca (diminutif de Rebecca), et un petit frère encore aux couches, nommé Jaja (le surnom de Jean-Philippe).

Alors que les deux aiment bien lire, Jessie veut devenir ballerine professionnelle et Marjorie, elle, auteure et illus-tratrice de livres pour enfants. Elles sont toutes les deux très douées. Vous devriez lire une histoire de Marjorie ou voir Jessie danser. Cette dernière prend des cours d'une école réputée et elle a participé à des spectacles devant des centaines de personnes.

Une dernière différence entre les deux filles : Marjorie a grandi à Nouville alors que Jessie est arrivée ici il n'y a pas longtemps. Il y a fort peu de familles noires à Nouville, ce qui a été difficile pour Jessie, mais elle s'est bien adap-tée ainsi que certaines gens du quartier qui, au début, ont fait la vie dure aux Raymond.

Voilà donc les membres du Club des baby-sitters. Vous savez tout maintenant sur Christine, Diane et les autres.

Je m'arrête de rêver, Diane me tend le téléphone et je converse avec Christine pendant une quinzaine de minu-tes. Lorsque je raccroche, je sens qu'elle est réconfortée.

Après tout, je suis une de ses meilleures amies et c'est à cela que servent les amies.

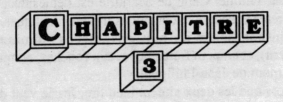

CHAPITRE 3

— Je suis là! La réunion peut commencer maintenant!

Christine Thomas n'arrive jamais simplement — elle fait son entrée.

C'est un jour de réunion et Christine est la dernière arrivée. On pourrait penser qu'elle est toujours la première et c'est bien ce qu'elle aussi aimerait, mais depuis qu'elle a déménagé à l'autre bout de la ville, elle dépend de son frère aîné Charles que nous payons pour qu'il la conduise aux réunions et la ramène.

Nos réunions se tiennent dans la chambre de Claudia parce qu'elle est la seule à avoir son propre téléphone et sa ligne privée. C'est bien pratique de n'avoir pas à attendre après quelqu'un d'autre et nos clients peuvent aussi nous rejoindre plus facilement.

Je fais peut-être mieux de vous expliquer comment notre club fonctionne. Nous nous rencontrons tous les lundis, mercredis et vendredis, de dix-sept heures trente à dix-huit heures. Nos clients savent qu'ils peuvent nous appeler à ces moments-là s'ils ont besoin d'une gardienne.

Je regarde alors dans l'agenda si l'une d'entre nous est libre et nous rappelons le client pour lui dire qui ira garder chez lui ou chez elle. C'est ce qu'il y a de merveilleux dans notre club. Avec sept gardiennes, il est plus que probable que l'une de nous soit disponible, et nos clients ne sont jamais déçus.

Comment nos clients savent-ils quand et où nous rejoindre? Parce que nous les avons avisés par feuillets publicitaires que nous avons distribués dans le quartier. Au tout début, nous avons même fait paraître une annonce dans le journal local. Maintenant, notre réputation est faite: responsables, fiables, pleines d'entrain, voilà le genre de gardiennes que nous sommes.

Comme vous le voyez, chacune de nous a une responsabilité dans le club. Christine est notre présidente parce que c'est elle qui en a eu l'idée. Au début de son secondaire, elle et ses frères aînés étaient obligés de garder David après l'école et le soir lorsque leur mère était occupée. Puis, une fois, madame Thomas a eu besoin de quelqu'un alors que ni Christine ni ses frères n'étaient libres. La mère de Christine a donc passé un temps fou au téléphone avant de trouver une gardienne. C'est en regardant sa mère faire appel après appel que Christine a eu son idée. Ne serait-ce pas merveilleux si sa mère n'avait qu'un numéro à composer pour atteindre tout un groupe de gardiennes? C'est alors que Christine, Sophie, Claudia et moi avons commencé le club. Le succès a été immédiat. Diane est alors arrivée à Nouville et s'est jointe à nous. Puis le club a encore grossi et Sophie est partie pour Toronto. Nous l'avons donc remplacée par Marjorie et Jessie. Mais quand Sophie est revenue à Nouville, elle a vite réintégré le club.

Les responsabilités de Christine sont de mener les réunions et de continuer à avoir des idées géniales — comme les trousses à surprises, par exemple. Les trousses à surprises sont des boîtes (chacune a fait la sienne) que nous avons décorées et remplies de quelques-uns de nos vieux jeux, jouets et livres, auxquels nous avons ajouté des albums à colorier, des crayons ou des cahiers d'autocollants. Nous apportons quelquefois nos trousses à surprises lorsque nous allons garder. Les enfants les adorent. Ils sont d'ailleurs toujours fascinés par les jouets qui ne sont pas les leurs. Et Christine avait deviné ça. C'est la raison pour laquelle elle est une si merveilleuse présidente, même si elle fait parfois son «commandant». Elle nous oblige aussi à tenir un journal de bord dans lequel nous rédigeons quelques lignes sur chacune de nos gardes. La plupart d'entre nous détestons ce travail, mais nous devons admettre que c'est très utile de connaître les problèmes qui peuvent survenir dans les familles où nous allons garder.

Le titre de vice-présidente revenait à Claudia, surtout parce que nous envahissons sa chambre et monopolisons son téléphone trois fois par semaine.

Comme secrétaire, mon rôle à moi est de tenir l'agenda (qu'il ne faut pas confondre avec le journal de bord) en ordre et à jour. C'est le cahier dans lequel sont consignés tous les renseignements de base sur nos clients (noms, adresses, numéros de téléphone) et des informations sur les enfants. Les pages les plus importantes sont probablement celles des rendez-vous. En plus d'y inscrire nos gardes, je dois tenir compte des horaires personnels de chacune — les cours de danse de Jessie, les visites de Marjorie chez l'orthodontiste, les leçons de peinture de Claudia, etc. Lorsqu'un appel arrive, c'est à moi de vérifier qui est libre pour le travail et d'aider à désigner qui devrait aller garder si plus d'une est libre. C'est une tâche importante et je suis fière de n'avoir jamais fait d'erreur jusqu'à présent.

Sophie, la trésorière, a le travail de recueillir les cotisations à chaque semaine. *Personne* n'aime se départir de son argent, même si le but est louable : l'achat de nouveau matériel pour les trousses à surprises, les comptes de téléphone mensuels de Claudia, les frais de déplacement de Charles pour conduire sa soeur aux réunions, et aussi les petites fêtes que nous organisons de temps à autre entre nous. Sophie enregistre aussi l'argent que nous gagnons, mais c'est seulement pour notre propre information. Nous ne divisons pas cet argent. Chacune garde ce qu'elle gagne.

Sophie est un véritable génie en maths.

Comme je l'ai dit, Diane est un membre suppléant du club, ce qui veut dire qu'elle remplace un membre absent s'il y a lieu. (Elle meurt d'envie d'être présidente, ne serait-ce qu'une fois, mais Christine n'a manqué aucune réunion.) Lorsque Sophie est retournée vivre un an à Toronto, Diane est devenue trésorière, mais Sophie a repris sa tâche en revenant. Diane n'est pas très emballée par les chiffres, même si ces chiffres représentent de l'argent. Elle est une excellente suppléante et, comme nous toutes, elle est aussi une supergardienne.

Jessie et Marjorie, nos membres débutants, n'ont pas de tâches spécifiques. Elles n'ont pas la permission de garder le soir à moins que ce soit dans leur propre famille. Mais elles nous sont d'un grand secours parce qu'elles prennent beaucoup de gardes l'après-midi et les fins de semaine, ce qui nous libère pour les gardes en soirée.

Mais il arrive, pour une raison ou pour autre, qu'aucune de nous ne soit libre. Nous appelons alors un de nos deux membres associés. Ils n'assistent pas aux réunions, mais ce sont des gardiens responsables qui peuvent nous remplacer car nous n'aimons pas dire à nos clients que nous ne pouvons les satisfaire. L'un des membres associés est Chantal Chrétien, une amie de Christine qui habite son nouveau quartier. Devinez un peu qui est l'autre membre associé… Louis Brunet!

Je pense que vous savez tout sur notre club. Comme vous le voyez, Christine l'a bien organisé et le mène rondement.

Dès que Christine apparaît dans la chambre de Claudia, elle s'empare du fauteuil de cette dernière (c'est son siège réservé), troque sa casquette contre sa visière de présidente et cale un crayon sur son oreille.

— Sommes-nous toutes présentes? demande-t-elle. Oh! non. Diane n'est pas là.

Il n'est que dix-sept heures vingt-cinq. Christine tient à ce que les réunions commencent à l'heure. Ceci a du bon et du moins bon. C'est bon parce que c'est responsable et que chacune sait qu'elle a jusqu'à cette heure-là pour se rendre chez Claudia. Christine ne commencera jamais une réunion avant. Le moins bon, c'est qu'elle ne tolère aucune seconde de retard. Aussitôt que le réveil de Claudia marque dix-sept heures trente pile, c'est parti, la réunion commence. Si tu arrives en retard, Christine n'est jamais contente, pas au point d'être méchante, à moins que ce soit la cinquième fois d'affilée que ça arrive.

Nous attendons donc Diane. Christine commence à lire le journal de bord.

Sophie est perchée sur une chaise et examine ses ongles, qui sont d'un rose pâle parsemé de paillettes.

— Il faut que je me refasse les ongles, dit-elle. J'en ai trois qui sont écaillés.

— Pourquoi t'embarrasses-tu de te vernir les ongles? lui dis-je. Je trouve ça tellement ennuyeux. Il faut toujours faire attention.

— C'est vrai, reprend Sophie, mais mes mains sont tellement jolies!

Claudia et moi sommes assises sur son lit, appuyées contre le mur. (Lorsque Diane arrivera, nous lui ferons une petite place.) La jambe de Claudia repose sur un oreiller. Elle l'a brisée il y a quelque temps et, selon la température, sa jambe lui fait mal. C'est habituellement avant la pluie. Son médecin lui a dit que ça serait peut-être toujours comme ça. Mais Claudia prend la chose du bon côté. «Je suis probablement plus exacte que les prévisions de la météo à la télé», aime-t-elle à répéter quand elle nous parle de sa jambe.

— Quelqu'un a faim? demande-t-elle soudain en changeant de position.

Comme l'heure du souper approche, nous sommes toutes affamées.

— Il y a un sac de chocolats sous mon lit et une boîte de craquelins sous le pupitre.

— Nous allons les chercher! disent en même temps Marjorie et Jessie, assises à l'indienne sur le plancher.

Jessie rampe sous le bureau et Marjorie sous le lit.

— Où ça? demande Marjorie. Il y a plein de poussière ici! ajoute-t-elle en éternuant.

— Désolée, fait Claudia. Je pense que les chocolats sont dans la boîte de retailles de tissu.

Marjorie trouve la boîte, l'ouvre et en sort un sac qu'elle passe à la ronde. Tout le monde en prend, sauf Sophie.

— Les craquelins sont pour toi, lui dit Claudia.

— Merci, mais je ne peux pas. Le médecin m'a demandé d'être très stricte sur les collations. Je vais attendre le souper. Mais Diane en voudra sûrement.

Sophie a raison. Lorsque Diane arrive, une minute avant le début de la réunion, elle prend une pile de biscuits.

— Je meurs de faim, annonce-t-elle.

Christine donne le coup d'envoi de la réunion. On s'occupe des affaires du club et puis, on attend les appels. Le premier arrive à exactement dix-sept heures trente-cinq. Un deuxième à dix-sept heures trente-huit. Nous commençons, enfin, *je* commence à être pas mal occupée à remplir l'agenda pendant que les autres prennent les appels à tour de rôle.

À dix-sept heures cinquante et une, arrive un appel auquel Marjorie répond.

— Bonjour, le Club des baby-sitters... Ah, bonjour, madame Arnaud! Comment allez-vous?

Madame Arnaud est la mère de jumelles identiques, Martine et Caroline. Marjorie a déjà eu à s'occuper régulièrement des deux filles pendant que leur mère travaillait à un dossier scolaire. Les jumelles ont commencé par être de véritables pestes, mais se sont transformées en gentilles petites filles le jour où on les a considérées comme des individus différents et non comme deux répliques identiques. Maintenant, madame Arnaud travaille à un autre dossier et aura encore besoin d'une gardienne régulière pendant quelques semaines. Nous ne pouvons pas l'assurer qu'elle aura toujours la même gardienne, mais on peut lui procurer quelqu'un chaque après-midi qu'elle voudra.

Devinez qui va avoir le plus de gardes chez les Arnaud?
Moi!

— Hummm, dit Marjorie, toute songeuse après avoir
raccroché. Je me demande comment sont les jumelles
maintenant. Nous ne les avons pas gardées depuis longtemps.

Si seulement on l'avait fait, j'aurais été un peu mieux
préparée à ce qui m'attendait.

Ding, dong!

Je sonne chez les Arnaud et je m'attends à voir les deux
fillettes venir répondre. Martine et Caroline détestaient
autrefois les gardiennes parce que personne, incluant les
gardiennes, ne pouvait les différencier. Mais c'est très différent maintenant qu'elles ont changé.

Cependant, une seule vient ouvrir. C'est Martine ! Je
vais vous dire pourquoi je la reconnais. Auparavant, leurs
parents adoraient les habiller de la même façon, de la tête
aux pieds et jusqu'à la boucle qui ornait leur chevelure. On
leur offrait aussi les mêmes jouets et elles partagent encore
aujourd'hui une chambre avec deux mobiliers identiques.
La moitié de chambre qu'occupe Caroline ressemble en
tous points à celle de sa soeur comme si elle était reflétée
dans un miroir. La seule différence qui existait entre les
filles était les leçons de piano que prenait Martine, alors
que Caroline adorait les sciences.

Ces deux dernières choses n'ont pas changé, mais beaucoup d'autres, oui. Quand Marjorie gardait les jumelles,

elle avait vu à quel point elles étaient malheureuses. Les enfants de l'école appelaient chacune d'elles «Martine-ou-Caroline» parce qu'ils ne pouvaient pas les différencier. Même Marjorie n'arrivait à les distinguer qu'en regardant le nom inscrit sur leur bracelet. Ce que personne ne savait (parce que les fillettes n'étaient pas assez mûres pour se confier à leurs parents), c'était que Martine et Caroline souhaitaient désespérément une identité propre. Martine voulait porter les cheveux longs alors que Caroline voulait les faire couper. Aucune n'aimait les robes à fanfreluches que leur faisaient porter leurs parents. Martine aimait les vêtements simples alors que Caroline préférait des vêtements à la dernière mode. En outre, Martine était la jumelle dominante, un peu comme Christine, alors que Caroline, plus sociable, ressemblait davantage à Claudia ou à Sophie.

Elles étaient donc deux petites filles de sept ans tout à fait différentes lorsque Marjorie avait fait leur connaissance... sauf que personne ne s'en rendait compte. Puis, Marjorie s'est mise à leur parler et les a enfin comprises. Elle a trouvé le cran nécessaire pour les aider à s'expliquer avec leur mère et même à convaincre cette dernière de les laisser dépenser l'argent qu'elles avaient eu pour leur anniversaire pour de nouveaux vêtements. De nouveaux vêtements *non identiques*. Plus tard, Caroline s'est fait couper les cheveux et ceux de Martine ont poussé de quelques centimètres.

C'est pourquoi, lorsque la fillette aux cheveux longs, portant une simple jupe grise et un chemisier blanc vient répondre à la porte, je sais tout de suite que j'ai affaire à Martine.

— Bonjour! dis-je.

31

— Bonjour! me répond-elle.

Elle essaie d'avoir l'air de bonne humeur, mais je devine que quelque chose la tracasse. J'entre chez les Arnaud.

— Où est Caroline?

— Sortie.

— Et où donc?

— Avec ses amis.

Je viens de toucher le sujet épineux, aussi je m'arrête. D'ailleurs, madame Arnaud surgit à ce moment du salon. Je dois dire que chaque fois qu'elle apparaît quelque part, elle déplace beaucoup d'air.

— Bonjour, Anne-Marie. Oh! tu as apporté ta trousse à surprises. Merveilleux! Martine est toute seule. Sa soeur est partie chez Hélène Biron. Elles vont peut-être passer chez Vanessa Picard, alors si tu veux rejoindre Caroline, appelle un de ces deux endroits. Quant à moi, je serai à l'école primaire de Nouville. Le numéro est tout près du téléphone. Je devrais être de retour dans deux heures environ. Amuse-toi bien avec Anne-Marie, Martine. Et si Caroline revient à la maison, *sois gentille avec elle*, ajoute-t-elle d'un ton menaçant.

— D'accord, dit Martine, maussade.

Madame Arnaud quitte la maison et je dis aussitôt à Martine:

— Tu peux aller rejoindre ta soeur, si tu veux. Ça ne me fait rien.

— Tu ne veux pas jouer avec moi, toi non plus? demande tristement Martine.

Oups. Qu'est-ce qu'elle veut dire?

— Bien sûr que je veux jouer avec toi. J'ai même apporté la trousse à surprises, tu vois?

Martine hoche la tête.

— Je pensais seulement que tu aimerais mieux jouer avec ta soeur et tes amies. J'irais te reconduire.

— Non, dit Martine. Ce ne sont pas mes amies. Je n'en ai pas. Je veux dire... j'ai une amie différente.

— Oh, oui? Et quel est son nom?

— Elle s'appelle... Gozzie Kunka.

— Gozzie Kunka! m'exclamé-je. D'où sort ce nom?

— C'est étranger. Elle vient de très loin. Elle est nouvelle à l'école. Elle n'est pas dans ma classe, mais je l'ai rencontrée dans la cour de récréation. Elle n'a personne avec qui parler ou jouer, alors je m'assois près d'elle sur les balançoires.

— Parle-t-elle français? demandé-je.

Martine et moi sommes maintenant dans le salon, la trousse à surprises entre nous deux.

— Oh! oui. Très bien. C'est juste qu'elle a une sorte... comment on appelle ça?

— Un accent?

— Oui, c'est ça. Mais je la comprends très bien.

Martine sort un casse-tête de la trousse à surprises.

— Tu sais ce que m'a dit Gozzie? Elle peut monter un cheval sans selle. Et une fois, elle était à Paris avec ses parents et elle a mangé des escargots et des cuisses de grenouille.

— Beurk!

— C'est ce que j'ai fait moi aussi, mais Gozzie dit que les cuisses de grenouille goûtent le poulet. Elle n'aimait pas les escargots... c'était comme du caoutchouc et couvert d'ail... Tu sais ce qu'elle a aussi mangé, Gozzie?

— Quoi?

— Des sushi, des algues et du papier de riz. Elle a voyagé partout.

— Elle a l'air exceptionnelle.

— Oh, oui, elle l'est!

Je pense alors que Martine va commencer à faire un casse-tête, mais elle dit encore :

— Une fois, Gozzie et ses parents étaient en avion et un homme a dit qu'il voulait le détourner. Il faisait juste semblant, mais il a quand même été arrêté. L'avion a fait un atterrissage d'urgence au Brésil et des policiers sont montés à bord pour l'arrêter. Ils ont même dû le transporter, car il ne voulait pas marcher.

— Oh! la! la! Ça devait être effrayant!

— Oh, oui! La famille de Gozzie n'a même pas mangé le repas servi dans l'avion.

Martine retourne finalement le casse-tête sur le plancher et commence à assembler les morceaux. Elle continue toujours de parler.

— Caroline passe tout son temps avec Hélène et Vanessa et d'autres filles. Hélène et Vanessa n'ont même pas notre âge; elles ont un an de plus.

— Parfois, ce n'est pas grave, lui dis-je. Marjorie et Jessie sont mes amies et j'ai deux ans de plus qu'elles.

Martine hausse les épaules. Elle se concentre sur son casse-tête quelque temps. Elle commence ensuite à haute voix la lecture de *Charlie et la chocolaterie*. Nous sommes au beau milieu d'un chapitre lorsque Caroline arrive.

— Salut, Anne-Marie! crie-t-elle.

— Salut, Caroline! Oh, comme tu es élégante!

Caroline a l'air magnifique et son sourire est éclatant. Martine se renfrogne.

— Hélène, Vanessa et moi, et peut-être Charlotte Jasmin, on pense à former un club de filles. Mais on n'acceptera pas n'importe qui.

— Des snobs, marmonne Martine.

Caroline l'entend.

— Ça y est, tu recommences! Mes amies ne sont pas snobs. Elles sont très gentilles.

— Ce sont des idiotes, conclut Martine en filant dans sa chambre.

Je l'y laisse pendant un bon dix minutes, puis je monte vérifier si tout va bien. Je la trouve étendue sur son lit, fixant le plafond.

— Pourquoi ne reviens-tu pas en bas? lui demandé-je. J'ai des nouveaux crayons dans la trousse, et du papier de couleur. Toi et Caroline pourriez faire un dessin pour vos parents.

Sans beaucoup d'enthousiasme, Martine me suit au premier. Elle et Caroline se mettent à dessiner à la table de la cuisine. Elles n'ouvrent pas la bouche, sauf pour laisser entendre des phrases comme celles-ci: «Papa dit que je suis l'artiste de la famille.» Ou: «Ça ne me fait rien que papa aime mieux ton vieux dessin.»

Hummm. Qu'est-ce qui ne va pas? Je pensais que les jumelles seraient plus heureuses une fois qu'on leur permettrait d'être elles-mêmes. Mais me voilà devant deux fillettes en colère.

CHAPITRE 5

Ce soir-là, je quitte les Arnaud un peu triste. Je suis désolée de voir les jumelles si malheureuses. Mais je me sens mieux au fur et à mesure que je me rapproche de chez moi.

La première chose que je fais après avoir ouvert la porte d'en avant, c'est d'embrasser Tigrou.

— Bonjour, mon Gros-gros, dis-je doucement.

Tigrou se met aussitôt à ronronner. J'adore le voir se fermer les yeux et avoir l'air du chaton le plus heureux de l'univers.

— Je parie que tu as faim, non? En tout cas, moi, j'ai faim. Je vais vite préparer nos deux soupers.

C'est mon travail de préparer le souper. Papa arrive habituellement entre dix-huit heures et dix-huit heures trente. Comme je suis presque toujours là à dix-huit heures, je m'occupe du repas. Ce matin, on a décidé de réchauffer une lasagne que nous avions faite il y a quelque temps et qui était congelée. Je prépare aussi une salade. Dès que j'ai donné à manger à Tigrou, j'allume le four et je me mets à couper tout ce qu'il faut pour une supersalade: laitue, concombre, carottes, champignons, poivron vert et rouge, olives, céleri, oeufs durs et quelques petits piments forts que papa adore.

La lasagne commence tout juste à embaumer lorsque papa arrive. Il nous embrasse sur la tête, Tigrou et moi.

— Je meurs de faim, annonce-t-il.

— Moi aussi, dis-je.

Je m'apprête à lui parler des jumelles Arnaud quand j'aperçois cette drôle de figure qu'il fait lorsqu'il veut dire quelque chose. Je me tais donc.

— Devine quoi, commence papa.

— Quoi?

— Madame Dubreuil travaille tard ce soir.

C'est ça la nouvelle? C'est un peu comme s'il disait: «Devine quoi. Il fera noir ce soir.» La mère de Diane travaille tard presque tous les soirs pour arriver à se tailler une place dans cette nouvelle compagnie où elle est entrée.

— Euh… oh! dis-je.

— Eh bien, je me demandais, continue papa, si tu aimerais inviter Diane à souper avec nous. Nous avons une grosse lasagne sans viande et je t'aiderai à faire un peu plus de salade.

— Oui! (J'adore inviter Diane.)

— Parfait, dit papa. Appelle-la vite!

Bien entendu, Diane est enchantée de l'invitation. Qui aime manger tout seul? Papa nous donne même la permission de faire nos devoirs ensemble.

Vers sept heures, papa va chercher Diane en auto (elle aurait pu venir à bicyclette, mais elle devrait alors retourner chez elle dans le noir), et nous nous retrouvons tous les trois assis autour de la table.

Pour je ne sais quelle raison, papa a préféré qu'on soupe dans la salle à manger plutôt que dans la cuisine où l'on mange presque toujours, même quand Diane ou mes amies sont invitées. Papa allume des bougies et sort la belle vaisselle.

Je pense qu'il a quelque chose derrière la tête.

J'avais raison.

Après nous avoir poliment demandé des nouvelles de l'école, il dépose sa fourchette et s'éclaircit la gorge.

— Hum, hum.

Diane et moi nous nous regardons et elle lève les sourcils.

— Comme vous le savez, commence mon père, l'anniversaire de la mère de Diane arrive à grands pas. (Je ne le savais pas, mais Diane oui, j'imagine.) Et j'ai pensé que ce serait agréable de lui faire une surprise.

Mon *père* qui suggère une *fête-surprise*? Il mourrait si on *lui* en faisait une. Qu'est-ce qu'il lui prend?

— C'est une bonne idée, monsieur Lapierre, mais je ne sais pas comment maman prendrait la chose.

— Oh! je ne parle pas d'une fête-surprise à tout casser, avec un tas de gens qui sortent de derrière les fauteuils, la rassure papa. Je pense seulement à nous trois qui pourrions l'inviter au restaurant.

— Je pense qu'elle aimerait bien ça, fait lentement Diane. Je le pense vraiment. Mais comment oraganiser la surprise?

— Je ne le sais pas encore, réplique papa. Peut-être qu'on pourrait suggérer à un de ses clients de l'inviter à un repas d'affaires et...

— La soirée *avant* son anniversaire, lancé-je aussitôt.

Papa me regarde en fronçant les sourcils. Il déteste être interrompu.

— Désolée, lui dis-je.

— Je pourrais demander à un de ses clients de l'inviter, répète papa. Si elle accepte, alors, j'appellerai pour réserver une table. Nous nous rendrons quelques minutes plus tôt, alors lorsque ta mère arrivera, Diane, nous y serons déjà.

— C'est un bon plan, fait Diane. Elle ne se froissera pas d'une telle surprise. Bien au contraire.

— On pourrait faire un souper très spécial, ajouté-je. On pourrait même lui apporter ses cadeaux et commander un gâteau d'anniversaire.

— Mais j'espère que personne ne viendra chanter à sa table, dit Diane.

— Papa? Pourrais-tu commander une bouteille de champagne? Juste pour toi et madame Dubreuil... Diane et moi on n'en prendrait pas. Et le serveur laisserait la bouteille dans un de ces seaux argentés près de la table.

— On pourrait aussi lui apporter une rose rouge, ajoute Diane. Enfin, vous, monsieur Lapierre. Elle adorerait cela.

Papa sourit.

— Je suis bien content de vous avoir consultées toutes les deux, dit-il. Vous pourriez louer vos services comme organisatrices d'anniversaires.

— Hé, c'est une bonne idée! dis-je avant de me rappeler que papa n'aime pas que je dise «hé».

— Oublie ça, dit-il simplement. Je blaguais. Tu en as déjà bien assez avec l'école et le club.

Je sais bien qu'il a raison.

Nous parlons de la surprise à madame Dubreuil pendant le reste du repas. Une chose me semble cependant bizarre: cet anniversaire n'en sera pas un très spécial pour madame Dubreuil. J'en ai la preuve lorsque je demande à Diane:

— Quel âge va avoir ta mère? (Je ne regarde pas papa lorsque je pose la question car il est tellement vieux jeu qu'il désapprouve sûrement qu'on demande l'âge d'une dame.)

— Elle aura quarante-trois ans, répond Diane.

Hum. Pourquoi papa fait-il tout un plat pour une quarante-troisième année? Pourquoi ne pas attendre à quarante-cinq? Peut-être veut-il seulement être gentil. Après tout, ce sera le premier anniversaire qu'ils célèbrent depuis qu'ils sortent ensemble.

Après le souper, papa se porte volontaire pour laver la vaisselle pour que Diane et moi commencions vite nos devoirs. Nous ne lui disons pas que nous n'avons qu'un tout petit travail ce soir-là pour avoir la chance de parler. Nous nous dépêchons donc d'en finir avec nos problèmes de mathématiques et notre leçon de sciences.

Dès que nous avons terminé, je dis :

— Que vas-tu donner à ta mère pour son anniversaire?

— Un agenda, répond Diane sans hésiter un instant. Tu sais, ces beaux livres avec lesquels tu peux organiser toute ta vie. Elle en a réellement besoin et elle m'a dit qu'elle en voulait un.

— Moi, je ne sais pas trop quoi lui donner. Peut-être un beau stylo dont elle pourrait se servir avec son agenda. Un stylo de luxe.

— Non, elle le perdrait.

— Oh! Un livre alors?

— Je ne sais pas. Elle a des goûts assez particuliers en fait de lectures.

L'attitude de Diane commence à m'agacer. Pourquoi ne m'aide-t-elle pas? Soudain, j'ai une idée géniale. Madame Dubreuil adore les bijoux.

— Je sais quoi! Un beau bijou!

— Fantastique! s'exclame Diane.

— Une belle épingle en forme de chat. J'en ai vu une...

— Oublie ça; maman déteste les chats.

Je me mets presque en colère.

— Ne pourrais-tu pas m'aider un peu? Tu ne fais que saboter toutes mes idées.

— Je suis désolée. C'est juste que je connais tellement ma mère plus que toi, et que tes idées ne sont pas... ne sont pas...

— Ne sont pas quoi?

Diane hausse les épaules.

— Maman et moi sommes très proches l'une de l'autre. J'imagine que c'est pour ça que j'ai de la difficulté à comprendre que quelqu'un se fasse des idées fausses sur son cas.

Je saute de mon lit et, poings serrés, je fais face à Diane.

— Je n'ai aucune idée *fausse* à son sujet. C'est toi qui penses que je la prends pour une vieille femme... je ne sais pas...

— Désolée, fait Diane, qui ne me paraît pas désolée du tout.

Je me rassois sur le lit et Tigrou grimpe sur mes genoux pour se faire caresser. Il déteste les querelles. Habituellement, il sort de la chambre.

Diane et moi restons silencieuses un moment. Puis, elle me demande comment s'est passée ma garde de l'après-midi. Je lui parle des jumelles et de leurs nouvelles amies.

— *Gozzie Kunka*? répète Diane, amusée, lorsque je lui fait part de l'amie de Martine.

— C'est bien le nom qu'elle m'a donné.

— Je n'ai jamais entendu un nom semblable.

— Moi non plus.

— Pendant longtemps, dit Diane en souriant, j'ai même pensé que Louis Brunet était le nom le plus bizarre.

Je lance un oreiller à Diane, qui m'en lance un autre aussitôt. Nous pouffons de rire sans pouvoir nous arrêter.

Notre querelle est terminée.

CHAPITRE 6

Mardi

J'ai gardé Matthieu et
Hélène aujourd'hui. J'adore
ces enfants. Matthieu est fantastique. Même lorsqu'il
nous parle par signes, rien
ne te fait croire qu'il est
handicapé ou différent ; ce
n'est qu'un garçon de sept
ans bien ordinaire. Matthieu
m'a appris un nouveau signe
aujourd'hui. C'est celui de
« hibou ». Tu mets ton pouce
et ton index en rond autour
de chaque œil pour que tes
yeux ressemblent à ceux d'un
hibou. N'est-ce pas génial ?
Donc, Caroline Arnaud est

venue jouer pendant que j'étais
là, et comme je savais que
Marjorie gardait ses soeurs et
ses frères au même moment,
j'ai donc amené Hélène et
Matthieu chez elle et tout
s'est terminé en jeu de
sardines. C'est là que le
plaisir a vraiment commencé...

Si vous ne le savez pas déjà, Hélène et Matthieu sont
deux enfants que l'on garde régulièrement. Matthieu a sept
ans et Hélène, neuf. Ils sont merveilleux. Ce qu'il y a
d'inhabituel dans cette famille, c'est qu'étant donné que
Matthieu est sourd, tout le monde communique par signes.
Toutes les gardiennes, surtout Jessie, et même certains des
enfants du voisinage ont appris un peu le langage par
signes. Si nous ne pouvions pas faire des signes, nous ne
pourrions pas «parler» avec Matthieu. (Il ne lit pas sur les
lèvres. La lecture labiale est très difficile. Essayez de
regarder une émission de télé en vous bouchant les oreilles.
Qu'est-ce que vous comprenez? Presque rien. Les «p» et
les «b» semblent pareils, de même que les «d» et les «t».
De plus, essayez donc de lire sur les lèvres de quelqu'un
qui a une moustache. Impossible.)

De toute façon, Matthieu parle avec ses mains comme
d'autres parlent avec leur bouche. Il y a des signes pour
des tas de mots (comme hibou que Jessie a appris
aujourd'hui). Si on ne sait pas le signe pour un mot, on
peut toujours l'épeler, puisqu'il y a un signe pour chaque
lettre de l'alphabet. Lorsqu'on épelle un mot, ça s'appelle

la dactylologie. Matthieu est le meilleur de tous puisqu'il fait ça à longueur de journée à l'école spéciale qu'il fréquente, mais ses parents et sa soeur sont presque aussi bons. Lorsqu'on a des problèmes à communiquer avec Matthieu, Hélène nous sert d'interprète.

Jessie arrive donc chez les Biron tout de suite après l'école. Peu de temps après le départ de madame Biron, on sonne à la porte. (Une lumière s'allume dans chaque pièce de la maison au même moment, pour que Matthieu sache lui aussi que la sonnette a fonctionné.) Matthieu et Hélène se précipitent vers la porte.

— C'est Caroline! crie Hélène, tout en faisant les signes. J'en suis certaine.

— Vérifie avant d'ouvrir, l'avertit Jessie.

C'est bien Caroline qui est là, vêtue d'une grande chemise, de collants bleus et de chaussures à talons plats.

— Salut! s'écrie-t-elle.

On ne penserait jamais qu'elle et Hélène viennent juste de se quitter à l'école. (Elles sont quand même dans des classes différentes.)

Jessie donne leur collation aux enfants et leur dit, tout en faisant les signes pour Matthieu:

— Quels sont vos projets? Il fait très beau dehors.

— Je veux aller à bicyclette, fait Matthieu.

Hélène et Caroline se regardent, puis haussent les épaules.

— On pourrait commencer notre club, suggère Caroline, qui ne connaît que deux signes — ceux de «fleurs» et «je m'excuse» — donc Hélène traduit sa suggestion à Matthieu.

45

En entendant parler d'un club de filles, il fait une grimace.

— Pourquoi ne pas aller chez les Picard? fait Jessie avec ses mains (tout en parlant pour ne pas que Caroline se sente en dehors de la conversation). Marjorie garde Nicolas, Vanessa et Claire.

Hélène et Caroline se regardent de nouveau, puis sourient. Jessie sait très bien qu'elles se proposent de parler de leur club à Vanessa. Matthieu sourit lui aussi, car les Picard sont devenus ses amis et il serait heureux de voir Nicolas.

Jessie appelle donc Marjorie et toutes deux sont d'accord pour faire jouer les deux groupes ensemble.

Lorsque Jessie et les enfants arrivent chez les Picard, c'est une Claire enthousiaste qui les accueille.

— Jouons aux sardines! Jouons aux sardines! crie-t-elle en sautant.

Comme Hélène ne connaît pas le signe pour sardine, elle épelle le mot à Matthieu. Puis Claire et Vanessa expliquent le jeu, en parlant et en faisant des signes. À la fin, les fillettes ont tout oublié de leur club. Le jeu des sardines semble drôlement plus amusant.

Avez-vous jamais joué à ce jeu? Sinon, voici comment faire: c'est une version du jeu de cache-cache, sauf qu'il n'y a qu'*une* seule personne qui se cache et toutes les autres cherchent. Lorsqu'un chercheur trouve celui qui est caché, il se cache *avec* lui. La personne suivante qui trouve les deux premiers se cache avec eux, et ainsi de suite, jusqu'à ce qu'il ne reste qu'une seule personne. Cette dernière personne est celle qui perd et qui recommence la ronde suivante en se cachant. Le truc lorsqu'on se cache, c'est de trouver une cachette assez grande pour que tout le monde s'y entasse, comme dans une boîte de sardines.

Jessie et Marjorie amènent les enfants dans la cour. On peut toujours jouer aux sardines à l'intérieur, mais depuis que les triplets ont brisé une chaise en jouant, madame Picard exige que le jeu se fasse à l'extérieur. Mais les enfants sont contents; il y a de plus grandes cachettes à l'extérieur.

— Bon, dit Hélène, en faisant les signes. Nous allons choisir qui va se cacher en premier.

— Comment? demande Claire.

— Tout le monde se met en cercle et tend une main. Marjorie ou Jessie, voulez-vous nous aider?

Jessie s'installe au milieu du cercle, puis elle commence à réciter :

— Ma p'tite vache a mal aux pattes, tirons-la par la queue, elle ira bien mieux !

En récitant la comptine, Jessie touche la main de chacun à tour de rôle. À la dernière syllabe, elle touche Vanessa et c'est donc Vanessa qui devient la première à se cacher.

— D'accord, commence Vanessa. Vous vous tenez tous face à la maison et vous fermez vos yeux. *Jessie* va compter jusqu'à cent, puis vous commencerez à me chercher.

Heureux arrangement qui élimine Claire qui ne sait pas encore compter jusqu'à cent, et tous les autres qui comptent trop vite.

Matthieu, Nicolas, Hélène, Claire et Caroline se tiennent donc les yeux fermés pendant que Jessie compte. Vanessa sait déjà où elle veut se cacher, et c'est un bon choix — sous les branches basses d'un gros pin. Elle court jusqu'à l'arbre, se colle contre le tronc, et elle est très bien cachée lorsque Jessie n'en est qu'à vingt. Quand, enfin, Jessie crie : « Cent ! », elle ajoute aussi : « Ouvrez vos yeux » et elle touche l'épaule de Matthieu pour qu'il sache que le jeu est commencé.

Jessie comprend tout de suite que le pin est la cachette préférée de Vanessa car Nicolas et Claire s'y rendent directement. Ils réussissent à rejoindre Vanessa sans attirer l'attention des autres.

Hélène, Matthieu et Caroline parcourent le terrain sur toutes ses coutures.

Pas un bruit ne vient de l'arbre.

Matthieu regarde sous une vieille brouette.

Hélène grimpe dans l'arbre où est nichée une petite cabane construite par les Picard, mais n'y trouve personne.

Caroline inspecte l'arrière de la remise.

— Où sont-ils donc? s'exclame finalement Hélène. (Jessie et Marjorie entendent alors un fou rire sous le pin.)

C'est Claire qui glousse de plaisir. Malheureusement, Hélène l'entend et court vers le gros arbre. Matthieu la voit faire et la suit.

Caroline reste donc toute seule. C'est son tour de se cacher, et elle choisit la cabane dans l'arbre. Une fois encore, c'est Claire qui vend la mèche lorsqu'elle trouve Caroline.

— Ce devrait être le tour de Claire de se cacher juste parce qu'elle rit toujours, déclare Nicolas, lorsque le groupe est de nouveau réuni.

— Non! s'exclame Claire.

— Oui.

— Non.

— Oui, espèce de vieille tête de noix.

Pendant un moment, on dirait que Claire va se mettre à pleurer. Mais son fou rire reprend de plus belle. Nicolas éclate à son tour, et les autres aussi, même Matthieu après que sa soeur lui a épelé «vieille tête de noix».

Matthieu est le joueur suivant et il trouve une cachette

formidable sous la brouette renversée. Personne ne peut le voir. Mais personne non plus ne peut se cacher avec lui là-dessous. Matthieu s'en aperçoit trop tard, lorsque Claire le découvre. Elle en fait tout un plat et les autres chercheurs accourent au grand complet.

Comme on ne veut pas être le joueur perdant, personne n'ose avouer qu'il est le dernier ou la dernière à avoir vu Claire.

— Ce n'est pas moi! Ce n'est pas moi! disent-ils tous en choeur.

Nicolas se lamente finalement qu'il a soif, alors Marjorie apporte un gros pot d'eau glacée et des verres de carton dans la cour. Les sardines en ont assez de se cacher. Claire boit un verre d'eau et va se balancer; Nicolas et Matthieu décident de jouer à la balle molle (ils font partie des Cogneurs de Christine); et Caroline, Hélène et Vanessa s'assoient avec Jessie et Marjorie sur le patio.

— Où est Martine? demande Marjorie.

Caroline hausse les épaules.

— Chez nous, je pense. Elle ne joue plus jamais avec moi.

— J'imagine qu'elle a ses amis et que tu as les tiens, dit Jessie.

— Martine n'a pas d'amis, dit Caroline en faisant la moue. Elle cherche trop à tout diriger.

— Et que fais-tu de Gozzie Kunka? demande Marjorie qui en a entendu parler par Diane et moi.

— Qui? s'exclame Hélène.

— Gozzie Kunka. La petite étrangère. La nouvelle à votre école.

— Je n'ai jamais entendu parler d'un tel nom, fait Hélène en fronçant les sourcils.

— Moi non plus, dit Vanessa.

— Moi oui, lance Caroline. Je ne dirais pas que c'est véritablement l'amie de Martine, mais elle nous en a beaucoup parlé. Elle dit qu'elle a fait le tour du monde. Le père de Gozzie travaille pour le gouvernement, et ils ont finalement décidé de s'installer ici.

— On penserait plutôt qu'une famille comme ça irait habiter dans la métropole, pense tout haut Jessie, et pas à Nouville.

Les filles se regardent et haussent les épaules. Puis, Caroline, Vanessa et Hélène se mettent à parler de leur club. Une demi-heure plus tard, Jessie ramène Matthieu, Hélène et Caroline chez les Biron. Les enfants se saluent de la main, un signe que tout le monde comprend.

En quittant la cour des Picard, Caroline regarde Jessie et lui dit:

— Oh! la! la! ce que papa sera fier de moi lorsqu'il découvrira que j'apprends le langage par signes. Martine ne connaît aucun signe, alors que moi, je vais en apprendre beaucoup de Matthieu et d'Hélène. Je parie que Martine sera jalouse... très jalouse.

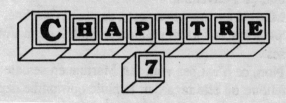

CHAPITRE 7

— *Pluie, pluie, cesse de tomber, et ne reviens pas une autre journée,* chante Martine Arnaud.

— Ce n'est pas la vraie chanson, l'informe Caroline. C'est *Pluie, pluie, cesse de tomber. Reviens une autre journée.*

— Je le sais. Je pensais seulement comme ce serait magnifique si le soleil brillait tout le temps. Et si les fleurs étaient toujours...

— Ça ne peut pas arriver, explique Caroline, l'experte en sciences. Les fleurs ne peuvent pas toujours être belles, surtout s'il ne pleut jamais. Et s'il ne pleuvait jamais, on manquerait d'eau. On ne pourrait donc pas en boire ni prendre notre bain, tout sécherait et nous serions tous morts.

— Mais non.

— Mais si.

— Non!

— OUI!

— NON!

— C'est *assez*, les filles! crié-je finalement.

Je garde chez les Arnaud, et il pleut réellement. Je n'ai pas interrompu la querelle des filles avant, parce que j'espérais qu'elles s'arrêteraient d'elles-mêmes. Mais on dirait que ça s'envenime.

— Martine est une vraie peste, se plaint Caroline, assise sur le plancher et sortant un à un les jouets de la trousse à surprises.

— Non, ce n'est pas vrai, fait Martine en se détournant de la fenêtre où elle regardait la pluie qui tombe depuis le matin. Je veux juste aller dehors. À l'école, on est restées enfermées toute la journée, même durant la récréation.

— Oui, mais on a joué au dictionnaire, dit Caroline.

— C'est un jeu idiot.

— C'est toi l'idiote.

— Les *filles*! Qu'est-ce que vous avez?

— Rien, répondent-elles en se renfrognant.

— Venez toutes les deux ici. Regardez les nouvelles choses qu'il y a dans la trousse. Voici un kaléidoscope, leur dis-je en appuyant un bout de l'appareil contre mon oeil. Je vois des milliers de Caroline qui gigotent.

— Y'a rien là! marmonne Martine.

— Et j'ai de la nouvelle pâte à modeler. Oh, et ceci! Ça ne vient pas du magasin, mais c'est un jeu de société. Je l'appelle «Le jeu de l'école d'Anne-Marie». Tu fais rouler le dé et tu dois exécuter ce qu'on demande, comme prendre un cours d'éducation physique supplémentaire ou aller au bureau du directeur; et ici, quand tu atterris sur cette case, tu obtiens un A et tu avances de dix cases. Le but du jeu est de se rendre du mois de septembre au mois de juin le plus rapidement possible.

Je suis très fière de mon jeu. C'est le premier que

j'invente et je me dis que n'importe quel enfant en âge d'aller à l'école va l'aimer. J'ai même trouvé d'énormes boutons qui font de très beaux pions et j'ai préparé des cartes qui indiquent au joueur ce qu'il doit faire, comme : «Oublié habit de gym. Recule d'une case». Ou : «Le prof a fait une erreur et tu la corriges. Avance de deux cases.»

Tout comme je le souhaitais, les jumelles sont assez intriguées pour oublier leur querelle, et nous installons le jeu sur le plancher. Les deux fillettes ne s'assoient cependant pas côte à côte.

— Caroline va tricher si elle voit mes cartes, dit Martine.

— Et Martine trichera tout de suite après, rétorque Caroline.

(Et moi qui pensais que la querelle était terminée.)

— Bon, comment ça commence? demande Martine.

— On jette le dé pour savoir qui sera la première.

Les jumelles se précipitent sur le dé, puis elles me regardent.

— Qui va lancer le dé la première? demande Caroline.

— Est-ce que c'est important? répliqué-je.

— Oui, parce que je veux être la première, déclare Caroline.

— Moi aussi, s'écrie Martine.

Je résous vite le problème.

— Je lancerai le dé la première, dis-je. Puis celle qui est à ma gauche — c'est toi, Caroline — sera la suivante.

— Ce n'est pas juste! crie Martine.

— Oui, ça l'est. Dans la plupart des jeux, les joueurs procèdent dans le sens des aiguilles d'une montre, de la gauche vers la droite.

Martine boude un peu jusqu'au moment où elle s'aperçoit qu'elle vient de faire le nombre le plus élevé et qu'elle est la première à commencer. Nous jouons calmement une dizaine de minutes. Caroline mène, mais Martine le prend assez bien. Tout est paisible jusqu'à ce que Martine atterrisse dans la case de Caroline. Elle doit alors prendre une carte qui dit: «Attrapé à parler en classe. La première personne sur la case avance de dix cases.»

— *Dix cases!* hurle Caroline. Martine tu n'as vraiment pas de veine.

Le visage de Martine vire au mauve, mais tout ce qu'elle dit, c'est:

— J'en ai assez de ce jeu. Je monte dans ma chambre.

— Ce n'est pas *ta* chambre, c'est *notre* chambre, jette Caroline, et moi aussi *je* veux y aller.

— Eh bien, tu iras plus tard, parce que je l'ai dit la première.

Caroline s'arrête un instant, puis elle murmure:

— Je déteste partager cette chambre avec toi.

— Je ne sais pas pourquoi, réplique Martine. Tu n'es jamais ici. Ça pourrait bien être ma chambre.

— Eh bien, ce ne l'est pas.

Vous vous demandez sûrement pourquoi je ne dis rien. C'est que je suis trop surprise. Je n'ai jamais encore entendu les jumelles avoir une telle discussion. Elles avaient l'habitude de donner du mal aux gardiennes, de jouer des tours et de confondre les gens, mais elles étaient inséparables, elles faisaient ces choses-là ensemble... même lorsqu'elles voulaient désespérément être traitées comme des êtres différents. Ceci est tout nouveau.

Puis, avant que je puisse les arrêter, Martine et Caroline lancent d'une même voix:

— *Je* m'en vais dans *ma* chambre!

Elles courent à l'escalier, l'atteignent en même temps et se bousculent tout en montant.

Je retrouve finalement mon bon sens.

— Attention, vous deux, vous allez vous blesser.

— Je m'en fous ! disent-elles en chœur.

Je cours sur leurs talons, ce qui est une bonne chose, car Caroline atteint la chambre un peu avant sa sœur et cherche à lui claquer la porte sur le nez. Comme je suis plus grande qu'elles, je passe mes bras au-dessus de la tête de Martine et je retiens la porte ouverte.

Caroline se lance sur son lit. Martine s'élance à son tour sur le sien. Elles font face au mur, chacune de son côté.

— Écoutez-moi, maintenant, toutes les deux, dis-je. Je veux savoir ce qui se passe.

— Rien, répliquent-elles pour la deuxième fois de la journée.

— Ce n'est pas «rien», leur dis-je. Je veux la vérité.

Il y a un moment de silence, puis Martine commence :

— Caroline me laisse toujours toute seule. Elle ne joue plus avec moi.

— Martine ne me laisse jamais tranquille, réplique Caroline. Elle me suit comme un chien de poche. Et elle essaie de diriger mes amis, aussi je ne la laisse plus venir avec moi.

(Les deux filles parlent toujours aux murs.)

— En plus, reprend Martine, maman aime mieux Caroline parce qu'elle est tellement intelligente et qu'elle a plein d'amis.

— Et papa, continue Caroline, aime mieux Martine parce qu'elle joue bien du piano, qu'elle participe à des concerts et qu'elle a gagné un prix en musique la semaine dernière.

— Vous savez quoi? dis-je en soupirant. Vous êtes vraiment deux personnes différentes maintenant; vous avez des amis différents. Vous ne pouvez plus vous attendre à ce que les gens vous traitent de la même manière. Et puis, sachez que vos parents vous aiment encore autant qu'avant toutes les deux.

Lentement, les deux jumelles se retournent. Elles se regardent, mais la grande scène émotive que j'espérais ne se produit pas. Je voudrais qu'elles sautent de leurs lits, se rencontrent au milieu de la chambre et tombent dans les bras l'une de l'autre, en pleurant et en se pardonnant. Au lieu de ça, Martine dit:

— Alors, si je suis si différente de Caroline, je ne veux plus partager ma chambre avec elle.

Avant que Caroline ne réponde: «Ce n'est pas ta chambre, c'est la nôtre», Martine se rend à sa commode et en sort un rouleau de ruban-cache. Elle va ensuite à la fenêtre, située exactement au milieu de la pièce, colle une extrémité du ruban-cache au centre, déroule le ruban jusqu'au plancher, et sur le tapis jusqu'au mur opposé.

— Et voilà! dit-elle. Cette moitié est la mienne et celle-là, à toi. *Pas question de traverser la ligne*, tu as compris?

Je me tiens sur le pas de la porte et j'attends la suite.

— J'ai compris, fait Caroline en souriant. Mais comment vas-tu quitter la chambre? La porte est de mon côté. Tu es coincée là-dedans.

Martine rougit, embarrassée. Mais sa figure s'éclaire soudain.

— Je pense que tu as un problème plus grave, dit-elle. La penderie est de *mon* côté de la ligne. Tu devras porter les vêtements que tu as sur le dos pendant le reste de tes jours.

Un sourire se glisse sur mes lèvres. Ce serait un drame pour Caroline qui attache maintenant beaucoup d'importance à sa tenue. Ça la tuerait de porter les mêmes vêtements deux journées d'affilée.

— Bon, finissons-en, dis-je aux filles en m'appuyant contre la porte, les bras croisés. Vous êtes assez vieilles pour arriver à un compromis.

— Non, dit Martine.

— Non, dit Caroline.

— Non? dis-je à mon tour.

— Je ne lui parle pas, font-elles d'une même voix, en se pointant mutuellement du doigt.

Elles se retournent alors chacune du côté du mur.

Je suis sidérée. J'ai toujours voulu un frère ou une soeur, surtout une soeur. J'ai même pensé qu'avoir une soeur jumelle serait encore plus merveilleux. Je nous imagine partageant les mêmes vêtements, babillant tard le soir, dans notre chambre commune. Lorsqu'on aurait été plus âgées, on aurait même parlé des garçons et de nos parents.

Pourquoi, me demandé-je, Martine et Caroline ne peuvent-elles pas s'entendre?

J'arrête vite de me poser des questions. Madame Arnaud va bientôt arriver et je ne veux pas qu'elle voie le ruban-cache qui traverse la chambre. Je demande poliment à Martine de l'enlever.

Elle accepte en grommelant.

Une fois encore, en quittant les Arnaud, je laisse deux fillettes en colère.

CHAPITRE 8

Je suis tellement excitée ! C'est le soir du souper d'anniversaire de la mère de Diane. Tout est planifié, et papa, Diane et moi, souhaitons que la surprise se déroule sans anicroche.

Comme l'anniversaire de madame Dubreuil n'est que demain, elle n'a pas pensé plus loin lorsqu'un de ses associés (qui est aussi un ami de papa) l'a invitée à souper pour discuter affaires avec elle. Il a dit qu'il réserverait une table à son nom, pour dix-neuf heures, au restaurant *Chez Maurice*. Papa doit nous y conduire, Diane et moi, une quinzaine de minutes avant l'heure prévue. (Diane a dit à sa mère qu'elle soupait de nouveau avec moi, ce qui n'est pas en fait un mensonge.) Papa dira alors au maître d'hôtel que nous sommes les amis de monsieur Samson et que ce dernier a réservé une table à son nom.

Puis, madame Dubreuil arrivera et dira la même chose, mais le maître d'hôtel la conduira à *notre* table ! Monsieur Samson ne se montrera jamais, bien entendu.

C'est comme ça que la soirée débutera — du moins

nous l'espérons — et nous avons aussi d'autres surprises en réserve.

Nous sommes vendredi, et Diane et moi ne pensons qu'au souper. Au dîner, Diane me demande:

— Gardes-tu quelque part cet après-midi, Anne-Marie?

— Non. Pourquoi?

— Parfait. Moi non plus. Je me disais qu'on pourrait se changer tout de suite après l'école. On irait ensuite à la réunion du club et on reviendrait chez toi pour attendre ton père.

Christine fait un air découragé. Je ne peux pas la blâmer. Diane et moi avons parlé de notre souper tout le long du repas à la cafétéria. Mais que voulez-vous, c'est tellement excitant!

J'ai enfin trouvé un cadeau pour madame Dubreuil. C'est une petite breloque qui est la réplique de la bague de diplômé du collège de Nouville. Le frère de Christine l'a achetée pour moi et madame Dubreuil pourra la porter à une chaîne autour du cou. Comme papa n'avait pas les moyens d'en acheter pour lui ou pour elle lorsqu'ils ont obtenu leur diplôme, je me dis que c'est un cadeau très significatif.

Pour une des premières fois, Diane et moi avons peine à attendre la fin de la réunion du club. Aussi, à dix-huit heures tapant, nous partons à toute allure!

— Salut, tout le monde! crions-nous par-dessus notre épaule avant de sortir de chez les Kishi et de traverser chez moi.

Papa est déjà arrivé, plus tôt qu'à son habitude, et il nous salue dès notre entrée.

— Ce que vous êtes jolies, toutes les deux, dit-il.

— Merci, répondons-nous en souriant.

Diane porte une robe fleurie et des chaussures bleues à talons bas. Ce n'est pas tellement son habitude de s'habiller de la sorte, mais elle a l'air plus âgée et magnifique avec ses longs cheveux blonds. Quant à moi, je porte une jupe verte et un grand chandail tout fleuri et garni de perles de verre de couleur. Nous sommes restées assises bien sagement tout le long de la réunion afin de ne rien froisser.

Nous avons une demi-heure à perdre avant qu'il soit le temps de partir. Diane et moi nous nous brossons réciproquement les cheveux et plaçons nos cadeaux dans un sac. (Je n'ai pas dit à Diane ce que j'avais acheté à sa mère.) Nous appliquons ensuite du poli à ongles que Diane a apporté. J'obtiens la permission d'en mettre du transparent alors que Diane utilise du mauve.

Pendant ce temps-là, papa appelle au restaurant, puis à un magasin de ballons. Il enveloppe la tige d'une rose rouge dans une serviette de papier humide et ensuite dans un sac en plastique, puis il met la rose dans notre sac.

— Où est ton cadeau? lui demandé-je.

— C'est un secret, reprend-il mystérieusement. Venez. Il est déjà dix-huit heures trente; c'est le moment de partir.

Nous arrivons *Chez Maurice* à 18 h 45 pile. Tout va bien. Le maître d'hôtel nous conduit directement à la table réservée pour monsieur Samson.

C'est magnifique! Une bouteille de champagne est plongée dans un seau de glace à côté de la table; des bougies sont allumées et la table est dressée de porcelaine délicate et de vraie argenterie. Pendant que Diane et moi observons tout autour de nous, papa a une petite conversation avec le maître d'hôtel. Diane et moi déposons nos cadeaux à la place de madame Dubreuil dès que le maître d'hôtel nous laisse seuls. Papa développe la rose et la couche dans l'assiette de madame Dubreuil. Tout a tellement l'air élégant.

— Il ne manque que le bouquet de ballons, dit papa.

— Et ma mère, ajoute Diane, et nous éclatons de rire tous les trois.

Heureusement, les ballons arrivent cinq minutes avant madame Dubreuil. Un serveur les noue à un lustre au-dessus de notre table. J'espère que la chaleur du lustre ne fera pas crever les ballons; ce serait assez embarrassant.

Les ballons sont à peine attachés que madame Dubreuil arrive, escortée par un autre serveur. Lorsqu'elle nous voit tous les trois, les ballons, la rose, les présents et le champagne, j'ai peur qu'elle ne perde connaissance.

— Surprise! Heureux anniversaire! nous exclamons-nous sans trop élever la voix.

— Oh! mon Dieu! s'écrie la mère de Diane en s'appuyant contre le dossier de sa chaise. Qu'est-il arrivé à Louis Samson?

Papa sourit.

— Oublie-le, dit-il. Tu n'as pas de souper d'affaires. Diane, Anne-Marie et moi avons planifié cette fête depuis des semaines.

Puis, papa épingle la rose au corsage de madame Dubreuil et les deux se sourient comme s'ils étaient seuls au monde. Un peu plus tard, le serveur apporte les menus. Je ne raconterai pas le souper dans les détails, parce que, même s'il était amusant et les plats excellents, la meilleure partie est à venir.

Le dessert.

Tel que convenu entre papa et le maître d'hôtel, notre serveur nous annonce qu'il va nous apporter la carte des desserts, mais il revient plutôt avec... un gâteau! Personne ne chante «Joyeux anniversaire», et madame Dubreuil paraît soulagée.

Le gâteau est magnifique; le glaçage est blanc avec des fleurs roses et bleues, et orné de quatre bougies. Nous nous penchons pour le regarder de plus près, mais après que madame Dubreuil a soufflé les bougies, elle n'arrive pas à détacher ses yeux du gâteau.

— Qu'est-ce qu'il y a? demande Diane.

Lentement, sa mère soulève une des bougies et en retire quelque chose qui y a été glissé.

— Est-ce bien ce que je crois? demande-t-elle à mon père.

Il hoche nerveusement la tête. Madame Dubreuil nous montre ce qu'elle tient dans sa main.

C'est une bague de diamants.

— C'est... c'est une bague de fiançailles, nous dit-elle. Tu m'avais pourtant promis... poursuit-elle en regardant mon père. Nous sommes tous les deux passés par un mariage auparavant. Nous n'avions pas besoin de nouvelles bagues.

Papa hausse les épaules.

— Je ne pouvais pas m'en empêcher, surtout que je n'ai pas pu t'en offrir une à l'époque du collège.

Madame Dubreuil se penche et embrasse mon père sur la joue. Comme vous pouvez l'imaginer, Diane et moi, on ne les quitte pas des yeux. Finalement, je réussis à articuler:

— Vous voulez dire que vous allez vous marier?

Mon père et madame Dubreuil hochent la tête en souriant.

— Nous cherchions une façon spéciale de vous l'annoncer, mais nous ne savions pas comment, fait papa. J'ai pensé que cet anniversaire était l'occasion rêvée. Je m'excuse de ne pas t'avoir consultée, ajoute-t-il en se tournant vers madame Dubreuil. M'en veux-tu?

— Juste un peu, dit-elle franchement. Mais comment vraiment t'en vouloir avec tous ces ballons et un gâteau et... et une bague...

La sentant au bord des larmes, j'allais lui suggérer d'ouvrir ses cadeaux, lorsque Diane me regarde et dit:

— Nous allons être des demi-soeurs! Y as-tu pensé?

Soudain, *je* me mets à pleurer. Diane aussi. Nous nous sautons au cou, puis nous posons des milliers de questions à nos parents. Quand sera le mariage? Qui inviterons-nous?

Papa et madame Dubreuil n'ont pas toutes les réponses, sauf qu'ils veulent un tout petit mariage, très bientôt, et que Julien viendra de Californie pour y assister.

Madame Dubreuil ouvre ensuite ses cadeaux. Même si l'agenda de Diane n'est pas une véritable surprise, elle semble ravie. Et quand elle aperçoit la breloque venant de moi et qui lui rappelle son temps de collège, elle a encore les larmes aux yeux, mais elle dit vite:

— Quel beau cadeau, ma chérie! Je suis tellement heureuse que tu deviennes ma belle-fille.

Papa m'adresse un sourire rayonnant.

Ce n'est pas avant d'être couchée, ce soir-là, Tigrou pelotonné au pied de mon lit, que plusieurs autres choses commencent à me tracasser. Par exemple, Diane m'a dit que sa mère n'aimait pas les chats. Je pense qu'il faudra qu'elle s'habitue à Tigrou après le mariage. Puis je songe à la façon organisée dont mon père vit et je me demande comment il pourra se faire au désordre continuel de la mère de Diane.

Ah, et puis ce ne sont là que des détails, me dis-je, comparés au fait que je vais gagner une belle-mère, un demi-frère à mi-temps et... une demi-soeur. Et cette demi-soeur sera Diane... une de mes meilleures amies dans le monde entier. Quelle chance j'ai ! Je n'arrive pas à y croire.

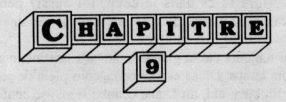

CHAPITRE 9

Même si la grande nouvelle date de vendredi soir, Diane et moi réussissons le tour de force d'attendre jusqu'à la réunion du lundi pour en informer nos amies. Je demande même à Christine si Louis peut assister à la réunion.

— Pourquoi? demande-t-elle.

Bonne question.

— Parce que j'ai une nouvelle à vous communiquer, et je veux que tous mes amis les plus intimes l'apprennent en même temps. (Je ne lui dis pas que je partage cette nouvelle avec Diane, car elle devinerait aussitôt.)

— Eh bien, dit lentement Christine, ce n'est pas la politique habituelle, mais... si Louis peut venir, il est le bienvenu.

— Merci, lui dis-je.

Je sais qu'il peut venir car je lui ai déjà demandé.

À dix-sept heures trente, Diane et moi sommes aussi excitées que nous l'étions vendredi soir.

— Qu'est-ce que vous avez, toutes les deux? nous demande Christine. Tâchez de reprendre vos esprits. Ce club est une organisation sérieuse, vous savez.

— Nous le savons, nous le savons, fait Diane. Mais il y a des temps morts et Anne-Marie et moi avons quelque chose de très important à vous dire.

— Alors tu es dans le coup, toi aussi? demande Christine dont le regard est empreint d'une certaine amertume.

J'ai toujours été la grande amie de Christine, mais ces derniers temps, Diane et moi partageons plein de secrets.

— Eh bien, oui, dit Diane comme si elle se confessait.

— Bon, soupire Christine, commençons donc cette réunion. À l'ordre! À l'ordre!

Je fais le tour de la chambre de Claudia des yeux. Tout le monde est à sa place : Christine dans le fauteuil; Sophie sur la chaise de bureau; Claudia, Diane et moi, alignées sur le lit; Jessie et Marjorie sur le plancher. Les quelques fois où Louis assiste aux réunions, il s'assoit où il peut se trouver une petite place, habituellement près de moi. Mais cet après-midi, il est également assis sur le plancher, le dos appuyé contre la porte de la penderie de Claudia.

Comme c'est lundi, Sophie recueille l'argent des cotisations. (Louis n'a pas à en payer.) Lorsqu'elle a terminé, nous attendons sagement la suite. Le téléphone n'a pas encore sonné. Diane et moi, nous nous regardons. Voilà notre chance.

Diane ouvre la bouche et...

Dring, dring!

— Je le prends! crie Christine en sautant sur l'appareil.

C'est madame Seguin, de l'autre côté de la rue. Christine et moi arrangeons une garde pour Marjorie.

Comme le téléphone ne se fait plus entendre, Diane me regarde une deuxième fois.

Elle ouvre la bouche.

Dring, dring!

Cette fois, c'est Sophie qui répond et arrange une garde chez les frères Robitaille.

Le téléphone semble vouloir rester silencieux. Diane et moi, nous nous regardons sans dire un mot.

— Qu'est-ce que vous attendez? demande Christine.

— C'est le téléphone, réplique Diane. Chaque fois que je veux parler, il sonne.

Mais comme comme nous ne recevons aucun appel depuis une minute ou deux, Diane dit:

— Anne-Marie? Est-ce que je devrais commencer?

Je hoche la tête. Diane regarde Louis, puis me regarde de nouveau.

— C'est à toi d'annoncer la chose, fait-elle subitement.

Je sais pourquoi elle décide de me laisser parler. Elle sent que Louis doit entendre une telle nouvelle de ma bouche. De plus, je connais les membres du club depuis beaucoup plus longtemps qu'elle. Je souris à ma future demi-soeur.

— Bon, voilà, commencé-je en souhaitant que le télé-phone ne sonne pas. Vendredi soir, lorsque nous avons fait la surprise du souper à la mère de Diane pour son anniver-saire, Diane et moi avons eu droit aussi à une grosse sur-prise. Une vraie de vraie.

— C'était quoi? fait Claudia.

— Le cadeau de papa à madame Dubreuil était une bague de fiançailles. Ils vont se marier et Diane et moi serons demi-soeurs.

On pourrait entendre une mouche voler. Tout le monde en reste coi pendant quelques instants, puis la folie s'empare du groupe. Louis saute sur ses pieds, traverse la chambre en deux enjambées, m'attrape et me fait tourner dans ses bras. Dès qu'il me pose par terre, Claudia m'étreint à son tour; Diane et Sophie se jettent au cou l'une de l'autre. Tout le monde s'embrasse... sauf Christine. Enfin, je veux dire qu'elle met un peu plus de temps à avoir l'esprit à la fête. Je sais qu'elle souffre et je m'y attendais. Comment pourrait-elle ne rien éprouver? Quelque chose dont elle n'a pas le contrôle vient de se passer et va former à tout jamais un lien unique entre Diane et moi. Je m'étais préparée à la réaction de Christine. Lorsque finalement elle vient m'embrasser, je glisse une petite note dans la poche arrière de son jean:

> Chère Christine,
> En vieillissant, toi et moi allons nous faire des tas d'amis... et beaucoup de choses vont changer. Mais une chose ne changera jamais : tu as été ma première meilleure amie.
> Je t'aime.
> Anne-Marie

J'espère que Christine trouvera la note avant de jeter son pantalon au lavage. (En fait, je n'entendrai jamais parler de cette note, mais je saurai qu'elle l'a lue à cause du sourire qu'elle me fait à l'école, le lendemain.)

De toute façon, nous faisons un tel raffut dans la chambre que Josée, la géniale soeur de Claudia, se décolle de son ordinateur pour venir voir ce qui se passe.

— Quelque chose ne va pas? demande-t-elle du seuil de la porte. Vous faites tellement de bruit que vous n'entendez même pas le téléphone sonner.

— Quoi? fait Christine. Le téléphone?

Josée hoche la tête.

— Eh, tout le monde! Tranquille! ordonne Christine alors que Josée retourne dans son antre.

Nous nous calmons assez pour organiser une autre garde. Puis les questions se mettent à fuser:

— Quand le mariage aura-t-il lieu?

— Est-ce que ta mère était surprise, Diane?

— Est-ce que Julien est au courant?

Et les exclamations:

— Je n'arrive pas à croire que tu ne seras plus enfant unique, Anne-Marie!

— Tu vas finalement avoir une mère!

— Vous allez être des demi-soeurs!

Peu à peu, Diane et moi racontons le souper. Nous répondons aux questions du mieux que nous le pouvons, même si nous en savons très peu. Les pensées qui me harcèlent depuis vendredi soir (comme l'aversion de madame Dubreuil pour les chats) me reviennent, mais je les chasse vite.

Un autre appel nous vient de madame Arnaud, ce qui pousse Jessie à me demander comment vont les jumelles.

— Vous savez, dis-je, je crois qu'elles sont pires qu'avant. Elles sont si différentes que c'est incroyable. Elles veulent l'attention de leurs parents, elles sont méchantes l'une envers l'autre et le fait que Caroline ait tant d'amies les divise encore plus.

— Dans les familles... commence Marjorie au même moment où Christine dit: «Les jumelles...»

Nous rions tous, puis Christine fait signe à Marjorie de parler la première.

— Ce que j'allais dire, reprend Marjorie, c'est que dans une famille, les frères et les sœurs ne s'entendent pas toujours à merveille.

— C'est vrai, ajoute Jessie. Becca et moi, nous nous querellons parfois pour des riens. Nous nous fâchons même contre Jaja.

— Oui, affirment les filles — sauf Sophie et moi, puisque nous n'avons jamais eu ni frères ni sœurs.

— Et les enfants d'une famille se taquinent toujours, poursuit Marjorie, peu importe s'ils s'aiment beaucoup. La cible est parfois différente. Chez nous, c'était souvent Vanessa parce qu'elle nous faisait enrager à vouloir tout faire rimer. Maintenant, c'est Nicolas. Et quand j'ai eu mon apereil dentaire, ç'a été mon tour. Les triplets m'ont traitée de « bouche d'acier » pendant quelque temps, jusqu'à ce qu'ils en aient un eux-mêmes.

— Mais toute cette histoire avec leurs parents, dis-je. C'est nouveau et je n'aime pas ça.

— Eh bien, moi, intervient Christine, ce que j'allais dire, c'est que les jumelles changent. Leur père et leur mère sont deux personnes différentes et, bien entendu, les fillettes tentent de plaire à l'un ou à l'autre des deux. Par exemple, madame Arnaud apprécie les enfants qui sont très sociables et ont des tas d'amis. Et peut-être que monsieur Arnaud est porté davantage vers les arts.

— C'est juste, dis-je.

— Ça peut aussi être le contraire, fait remarquer Christine. Quelquefois, les parents essaient de plaire à leurs enfants. Je n'oublierai jamais quand maman et Guillaume se sont mariés. Au début, dès qu'il y avait une querelle, maman prenait pour Karen et André, alors que Guillaume prenait pour mes frères et moi. Ils voulaient tellement se faire aimer des enfants de l'autre.

Je hoche la tête.

— De plus, poursuit Christine, tu sais comment les amis peuvent prendre des chemins différents?

— Oui, dis-je d'un air contrit.

— Eh bien, si les amis le peuvent, les soeurs le peuvent. Tout va s'arranger dans quelque temps.

— Tout s'arrange toujours, dit Marjorie. Entre frères et soeurs, ou entre parents et enfants, ou entre amis.

Un profond silence s'installe alors que nous réfléchissons à ce qui vient d'être dit. On peut même entendre le cliquetis de l'ordinateur de Josée dans sa chambre.

Puis, Claudia s'exclame soudain.

— Quand je pense que vous allez devenir des demi-soeurs!

— *Et* des amies *et* des membres du club, fais-je remarquer.

C'est tout ce qu'il faut pour que les embrassades et les cris recommencent. Louis en a vite assez.

— À demain, tout le monde! fait-il en se sauvant.

Ça m'est égal. Il est près de dix-huit heures et le reste de la réunion se passe à jacasser et à rire. Ce manquement à la règle ne semble pas déranger Christine — du moins pas trop.

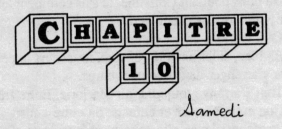

CHAPITRE 10

Samedi

J'en ai assez d'entendre parler de rivalité fraternelle. D'abord les jumelles Arnaud, maintenant mes propres frères et soeurs... les plus jeunes en tout cas. Je garde Karen, André, David et Émilie alors que Nanie est allée jouer aux quilles avec ses amis, que Guillaume et maman sont chez des amis, que Charles est parti acheter une auto usagée (sa première voiture), et, que Sébastien l'accompagne. Un de leurs amis est allé avec eux pour ramener la voiture de maman.

Je ne peux pas dire que l'après-midi a très bien commencé. Karen était d'une humeur massacrante et tout s'est enchaîné...

72

Pourquoi donc Karen est-elle de mauvaise humeur? D'après Christine, c'est parce qu'Émilie a eu l'audace, l'avant-midi même, de prendre le bras de Christine, de lui tendre un livre qui appartient à André et de lui dire:

— Lire?

Puis, Christine a eu elle aussi l'audace d'amener Émilie dans le salon et de lui lire l'histoire après l'avoir assise sur ses genoux.

C'est tout ce que ça prenait. Apparemment, Karen s'était levée du mauvais pied, mais lire avec Christine est une activité qui lui est réservée.

La mère de Christine a remarqué le manège de Karen, aussi lui a-t-elle proposé de lui lire *La Sorcière d'à côté*, son histoire préférée, mais Karen a refusé.

— Non, merci, a-t-elle répondu avant de s'enfermer dans sa chambre.

Après avoir passé l'avant-midi à maugréer contre les pestes de petites soeurs, Karen est encore plus de mauvaise humeur l'après-midi.

— Elles sont toujours dans nos jambes, dit-elle en dépassant Émilie dans l'escalier, qui monte marche après marche en tenant la rampe d'une main et en traînant sa couverture de l'autre.

— Elles ont toute l'attention, dit encore Karen au dîner alors que Guillaume coupe un sandwich en quartiers pour Émilie et que Nanie l'installe dans sa chaise haute.

Au moment où tout le monde est prêt à partir, laissant à Christine la responsabilité de la maison, Karen descend l'escalier en jetant par terre son t-shirt où est écrit: «Je suis la soeur du milieu... et fière de l'être.»

— Vous pouvez le mettre dans la boîte de Zoé. Je n'en veux plus.

— Je suis désolé de te laisser dans tout ce fatras, dit Guillaume en se dirigeant vers son auto.

— Ce n'est pas grave, je peux me débrouiller, le rassure Christine.

Elle retourne dans la maison où David et André sont enfermés dans le salon et jouent à un jeu de société. Elle les observe en souriant un moment lorsqu'elle entend tout un boucan dans la cuisine, comme si quelque chose était renversé. Puis, c'est Karen qui dit :

— Méchante fille, Émilie !

Christine se dirige en vitesse vers la cuisine. Karen chicane du doigt la petite Émilie, debout près d'une chaise. Sur la table, il y a un sac de biscuits dont plusieurs sont tombés et se sont cassés sur le plancher.

— Regarde ce qu'Émilie a fait, dit Karen d'une voix dégoûtée. Papa déteste les miettes de biscuits sur le plancher. De plus, Émilie a essayé de grimper sur la table pour prendre des biscuits alors qu'elle *sait* qu'elle ne doit pas monter sur les chaises.

Christine regarde Émilie. Guillaume, Nanie et sa mère sont d'avis qu'il est important de ne pas gâter Émilie, même si le début de sa vie n'a pas été très heureux. Mais Christine ne sait quoi penser. Émilie ne parle pas encore assez pour se défendre.

— As-tu pris ces biscuits ? lui demande Christine.

Émilie pleure à chaudes larmes.

— As-tu cassé les biscuits ? redemande Christine en pointant le dégât sur le plancher.

Les larmes reprennent de plus belle, pendant que Karen surveille la scène, poings sur les hanches.

— Quand je fais quelque chose de mal, Christine, dit Karen, papa ou Hélène m'envoient dans ma chambre.

C'est vrai. Mais Christine ne sait pas ce qui s'est passé exactement.

— Émilie, qu'est-ce que tu as fait?

La petite éclate alors en sanglots et Christine en conclut qu'elle est coupable.

— Bon, fait Christine, viens dans ta chambre.

Elle monte Émilie au deuxième, lui enlève ses chaussures et la dépose dans sa couchette.

— Un petit repos de dix minutes, lui dit-elle.

Puis, malheureuse de voir Émilie pleurant désespérément, elle sort de la chambre.

Lorsqu'elle revient dans la cuisine, elle trouve une Karen en larmes à son tour.

— Qu'est-ce qu'il y a? Tu ne pleures quand même pas parce que j'ai puni Émilie?

— Oui, pleurniche Karen.

— Et *pourquoi*?

Rien n'a plus aucun sens.

— Parce que c'est *moi* que tu devrais punir. C'est moi qui ai fait le dégât, puis j'ai tout mis sur le dos d'Émilie. Je voulais voir si tu la punirais vraiment. C'est mal ce que j'ai fait. Émilie a beaucoup de peine. Penses-tu qu'elle a compris ce que je lui ai fait?

— Peut-être. Émilie n'est pas stupide même si elle ne parle pas encore beaucoup. Et de plus, Karen Marchand, tu vas monter à ta chambre dix minutes pendant que j'essaie de consoler Émilie. Ensuite, je veux que tu lui demandes pardon.

Karen hoche la tête. Elle sait qu'elle mérite ce qui lui arrive. C'est maintenant son tour d'être punie.

— Christine, je vais jouer chez Léo! crie David du salon.

— D'accord, dit Christine, en remarquant qu'André joue maintenant avec Zoé.

Christine conduit Karen à sa chambre, reprend Émilie dans sa couchette et la berce un moment en tentant de lui expliquer ce qui est arrivé. Émilie retrouve bientôt son sourire et Christine l'amène dans la chambre de sa soeur.

— La punition est terminée, Karen, l'informe Christine. As-tu quelque chose à dire à ta soeur?

— Oui, fait Karen. Je veux te dire… Eh, ne touche pas à mon coffre à jouets, Émilie!

— *Karen!* s'écrie Christine.

— Elle fouille toujours dans mes affaires.

— Elle veut juste voir ce qu'il y a dans le coffre. Elle ne va rien briser.

— Comment le sais-tu?

Christine ne le sait pas, mais, au même moment, Émilie sort un vieux jouet de bébé du coffre.

— D'où ça vient, ça? demande Karen. C'est un jouet de bébé. Je ne savais même pas qu'il y était.

Émilie s'assoit sur le plancher et enfile joyeusement des anneaux en plastique coloré sur une cheville de bois. Karen se met à fouiller dans son coffre. Au fond, elle trouve un livre en tissu et un petit canard qui fait coin-coin en marchant. Elle les dépose devant sa petite soeur.

— Voici, je te les donne. Je n'en ai plus besoin. Je suis désolée de t'avoir fait de la peine, Émilie, ajoute-t-elle ensuite.

Le sourire rayonnant d'Émilie pourrait faire fondre un glacier. Christine soupire, heureuse que la crise soit résolue. Elle va pouvoir se détendre et garder en paix.

C'est ce qu'elle pense; ce qu'elle ignore, c'est qu'une autre crise se prépare. Tout débute lorsque Karen, André, Émilie et elle entendent un coup de klaxon.

— Je parie que c'est Charles! crie André. Il a sa nouvelle auto.

— Sa vieille auto, précise Karen.

— Sa nouvelle vieille auto, reprend Christine.

Ils se dirigent tous vers l'avant de la maison. Dans l'entrée, il y a une vieille guimbarde qui ressemble au tacot rose de Nanie, sauf qu'elle est grise. Il y a de la rouille ici et là et un des pare-chocs est abîmé.

Mais Charles semble très fier de son acquisition. Lui et Sébastien en descendent au moment où leur copain Patrick arrive avec l'auto de madame Marchand. Charles sourit et salue tout le monde de la main.

— Eh bien, la voilà cette précieuse pièce de musée.

Une précieuse ruine, oui, pense Christine, s'imaginant ce que vont dire sa mère et Guillaume lorsqu'ils la verront.

— Elle n'est peut-être pas flamboyante, poursuit Charles, mais elle roule comme une neuve. Avec un peu de peinture et de la cire, je lui referai une beauté. Vous pourrez tous m'aider.

— Oh! c'est gentil à toi, fait Christine, sarcastique.

— Allez, venez, tout le monde! lance Charles, trop excité pour remarquer le ton de sa soeur. On va reconduire Patrick chez lui.

Il prend alors le petit siège d'auto d'Émilie qu'il attache à la banquette arrière, puis Karen et André s'assoient près d'elle. Sébastien et Patrick s'entassent à leur tour.

— Tu viens, Christine? demande Charles.

— Je ne peux pas. David est chez Léo et je dois l'attendre.

— D'accord! crie Charles en démarrant.

David arrive cinq minutes plus tard. Lorsqu'il découvre où tout le monde est parti, il pique une colère, juste devant la maison.

— Tu veux dire que mon propre frère s'achète une nouvelle auto et qu'il emmène tout le monde faire un tour, sauf moi, son propre frère?

— David... commence Christine.

Elle veut lui expliquer qu'ils sont allés reconduire Patrick, mais David est déjà entré dans la maison. Il en ressort quelques instants plus tard avec un grand carton sur lequel il a inscrit en grosses lettres:

Défense de Stationner

Il fixe ensuite l'affiche à un arbre devant la maison, là où Charles ne peut pas la manquer.

En effet, Charles aperçoit l'affiche et comprend vite le message. Il fait descendre les autres enfants de l'auto et emmène David en randonnée spéciale.

Christine souhaite que les problèmes de rivalité fraternelle seront laissés de côté pour quelque temps.

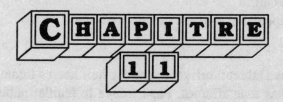

CHAPITRE 11

Un samedi soir, papa invite Diane et sa mère pour le souper. Ce n'est pas vraiment inhabituel, sauf que cette fois, il dit:

— Il faut discuter du mariage. Fixer la date et le reste. Nous voulons que toi et Diane preniez part aux décisions.

Oh bravo! Mais j'espère que Diane et moi ne mettrons pas trop de temps à décider de ce que nous porterons. Pour ma part, j'aimerais quelque chose de fantaisiste: une longue robe rose pâle avec un col de dentelle, comme j'en ai vu une dans un magazine. Peut-être qu'un chapeau de paille compléterait bien une tenue semblable. Est-ce que Diane aimerait ça? Probablement pas.

— Anne-Marie? fait papa.

— Oui?

— Qu'est-ce qu'on prépare pour souper? J'ai pensé à du poisson ou au reste de ce plat de légumes.

Je fais la grimace.

— On ne pourrait pas commander un repas chinois? dis-je. Les Dubreuil trouveront des plats de légumes au menu.

— Euh… très bien, reprend papa.

— Super! Merci, papa! dis-je en l'embrassant.

— Veux-tu appeler Diane et sa mère et voir avec elles si ça leur convient.

— Oui.

J'appelle et tout est parfait pour elles.

Les Dubreuil arrivent vers dix-huit heures trente. Nous sommes tous affamés. Papa trouve le feuillet publicitaire du restaurant chinois, mais nous n'arrivons pas à décider quoi commander. Finalement, nous y allons pour un plat de nouilles au sésame (miam), un autre d'aubergine dans une sauce à l'ail (beurk, on laisse ça à Diane et à sa mère), des côtées levées (pour papa et moi), et un plat appelé légumes à l'orientale auquel je goûterai.

En attendant le repas, papa et madame Dubreuil s'assoient sur le divan du salon. J'ai remarqué que ces derniers jours, même lorsque Diane et moi sommes là, ils s'assoient de plus en plus près l'un de l'autre. Diane et moi, nous nous installons sur le plancher pour discuter. Je lui parle de mon idée pour la robe de demoiselle d'honneur. Je lui montre même la photo que je garde dans un de mes cahiers.

Diane paraît un peu songeuse, puis elle sourit. Je me dis qu'elle va rire de la robe.

— Je ne la trouve pas si drôle, dis-je.

— Ce n'est pas ça, fait Diane. C'est seulement que personne ne nous a encore demandé d'être demoiselles d'honneur.

— Oh! c'est vrai!

Et nous pouffons de rire. Le repas arrive au même moment.

— Dieu soit loué! Je meurs de faim! s'exclame madame Dubreuil.

Papa et la mère de Diane paient chacun une moitié du repas. Puis, nous apportons les sacs à la cuisine, ouvrons les cartons de nourriture et remplissons nos assiettes avant de passer à table. Vers le milieu du repas, papa dit:

— Bon. Si on parlait du mariage.

— À quelle église aura-t-il lieu? demande immédiatement Diane.

— Oui, dis-je. Je sais que nous n'allons pas très souvent à l'église, papa, mais la nôtre est tellement jolie. Et elle a l'allée la plus longue de toutes les églises de Nouville.

— C'est important, maman, poursuit Diane, parce que ta traîne sera fantastique dans la grande allée.

— Et il faudrait des fleurs sur l'autel, dis-je encore.

— Des orchidées blanches, complète Diane.

— Des azalées roses... pour aller avec nos robes de demoiselles d'honneur, ajouté-je à tout hasard.

Papa et madame Dubreuil ont cessé de manger et se regardent sans dire un mot.

— Et, papa, les placeurs devraient avoir des pantalons rayés, comme dans un film que j'ai vu.

— Et, maman, fait Diane, toi, Anne-Marie et moi on pourrait aller à la boutique *Tout pour la mariée* au centre-ville. Ils font la robe de la mariée assortie à celles des demoiselles d'honneur. Et tu pourrais avoir un voile avec des perles.

— Et papa, dis-je à mon tour, pourrais-tu louer un smoking? Ne porte surtout pas ton vieux car le pantalon est trop court. Et n'en parle pas comme d'un habit de singe devant mes amis, d'accord?

81

— Oh! mais Julien en aura besoin d'un lui aussi, dit Diane. Quel sera son rôle au mariage?

Mon père et la mère de Diane n'ont pas encore ouvert la bouche, que ce soit pour manger ou pour parler. Avant qu'un des deux ne réponde à Diane, je m'exclame:

— Est-ce qu'on pourrait avoir de ces petites figurines en sucre sur le gâteau, celles qui sont si bonnes?

— Et il faudrait un gâteau d'au moins quatre étages, ajoute Diane. Ainsi, vous pourrez garder un étage et il en restera assez pour les invités, comme ça se passe dans les livres. En fait, où se tiendra la réception?

— Est-ce qu'on peut faire ça dans la grande salle Chez *Maurice*? Je me demande combien de personnes elle peut contenir? Cinquante? Cent?

— Tout dépend du genre de réception qu'on veut avoir, me répond Diane.

— Oh! dis-je. Je viens de penser à quelque chose. Qui sera la bouquetière? Nous n'avons aucune petite sœur ou cousine.

— Peut-être Myriam Seguin? Ou Claire ou Margot Picard? suggère Diane.

— Peu importe qui ce sera, sa robe devra être du même modèle que les nôtres, comme celle de Karen ressemblait à celle de Christine au mariage de sa mère et de Guillaume.

Nos parents retrouvent finalement la voix.

— Hé, les filles... disent-ils presque en même temps.

Ils se jettent un regard qui en dit long. Puis, la mère de Diane commence:

— Les filles, nous n'allons pas avoir de mariage ou de réception.

— *Quoi?* m'écrié-je.

— *Non?* s'exclame Diane. Pourquoi pas?

— Nous n'en voulons pas, dit papa. Nous en avons déjà eu un dans le temps et nous ne pensons pas que ce soit nécessaire.

— Mais la mère de Christine… commencé-je.

— La mère de Christine et Guillaume Marchand, c'est un cas différent, réplique mon père. De plus, ils n'ont même pas eu un aussi gros mariage que celui que vous décrivez. Savez-vous combien coûtent ces gros mariages de nos jours?

— Les filles, nous avons déjà discuté de tout ça et nous avons décidé de plutôt garder l'argent pour vos études supérieures.

— Oh! la! la! fait Diane. Moi qui pensais traverser Nouville en limousine.

Tout le monde est silencieux un moment. Nous arrêtons même de manger. Après quelques minutes, je dis plaintivement:

— Pas de mariage du tout?

— Pas exactement, me dit papa. Nous voulons un mariage civil devant le protonotaire. Nous tenons, bien sûr, à ce que Julien et vous deux soyez présents et nous irons ensuite prendre un souper tranquille tous les cinq.

— On peut peut-être arriver à un compromis? suggère Diane. On pourrait faire un petit mariage à la chapelle de l'église?

— Et on n'inviterait que quelques personnes, dis-je. Nos amies vont vouloir venir. Et madame Dubreuil, ne pensez-vous pas que vos parents vont vouloir y assister?

— Tu n'auras pas besoin d'être en longue robe, dit Diane à sa mère.

— Et tu ne porteras qu'un beau complet, dis-je à mon père.

— Et Anne-Marie et moi n'achèterons pas de nouvelles robes, ajoute Diane.

(Je lui donne un coup de coude. Je cherche toujours une occasion d'avoir une nouvelle robe.)

— Eh bien, dit pensivement madame Dubreuil. Je suppose qu'un *petit* mariage... *très* petit, ajoute-t-elle en regardant mon père, serait peut-être à considérer.

— J'imagine, dit-il.

— Nous allons dresser une très courte liste d'invités, dis-je. Christine, Sophie, Claudia, Jessie, Marjorie et Louis.

— Et puis, ajoute Diane, il y aura Julien, nos grands-parents, et peut-être que vous aimeriez inviter quelques collègues de travail. En nous comptant, ça ferait une vingtaine de personnes.

— Dans ce cas, déclare papa, on pourrait même aller tous manger après. Mais pas de gâteau ni de cadeaux. Rien, sauf un repas.

— C'est faisable, affirme Diane, et nous pouffons tous de rire.

— Nous sommes désolés de vous décevoir, les filles, dit madame Dubreuil quelques minutes plus tard. Nous ne savions pas que vous vouliez un mariage dans les formes. C'est une gentille idée, mais ce n'est pas ce que nous, nous voulons.

— Allez-vous au moins avoir une lune de miel? demande Diane.

— Un quartier de lune, fait papa. Ta mère et moi irons passer la nuit après le mariage à l'*Auberge des Lilas*. Puis nous prendrons de longues vacances familiales cet été. Julien viendra aussi, bien entendu.

— Vous voulez qu'on aille avec vous en lune de miel? m'écrié-je.

— Anne-Marie, j'ai dit tantôt que ce ne serait pas une vraie lune de miel...

— Je sais. Vous en avez déja eu une.

— C'est ça.

Nous finissons le souper, tout en discutant d'une date pour le mariage. Plus tard, une fois la vaisselle faite, Diane et moi montons dans ma chambre.

— Je ne peux pas croire que nous ne ferons pas partie d'un cortège, dis-je en me laissant tomber de tout mon long sur mon lit.

— Ouais, fait Diane. Au moins, on n'aura pas à porter ces affreuses robes roses.

J'attrape mon oreiller que je lance à Diane. Elle le reçoit en pleine figure et se met à rire avant de me le relancer.

— Je suis tellement contente qu'on devienne des demi-soeurs, dis-je.

— Moi aussi. En fait, on sera beaucoup plus que des soeurs ordinaires. Nous serons les soeurs les plus proches qui aient jamais existé. Je pense même qu'on devrait partager ma chambre plutôt que d'avoir chacune la nôtre.

Quoi? Qu'est-ce que Diane vient de dire? Je m'assois dans mon lit.

— Qu'est-ce que tu viens de dire?

— Je dis qu'on devrait partager ma chambre.

— *Ta* chambre?

— Oui. Lorsque toi et ton père emménagerez dans notre maison.

Je dévisage Diane. Je ne la quitte pas des yeux jusqu'à ce qu'elle change d'air.

— Oh, oh! fait-elle. Ton père ne t'en a pas encore parlé?

— Non, pas encore, figure-toi.

CHAPITRE 12

— Oh, oh! fait de nouveau Diane.

— C'est tout ce que tu trouves à dire? Oh, oh? Qui a pris cette décision? demandé-je en sautant à bas du lit. Qui? Et comment se fait-il que tu le saches et pas moi? Et pourquoi on ne m'a pas demandé où je voulais vivre? Je suppose aussi qu'il va falloir que je me débarrasse de Tigrou, puisque ta mère déteste tant les chats? Et pourquoi *je* devrais quitter *ma* maison? J'ai grandi ici. Toi, tu viens juste d'arriver à Nouville.

— Oh! la! la! dit Diane. Je suis vraiment désolée. Je pensais que ton père t'avait parlé du déménagement parce que...

— Eh bien, il ne l'a pas fait. Et comment va-t-on faire entrer tous nos meubles dans votre maison? J'imagine aussi que mon père et moi allons être obligés de tout donner, mais vous allez garder les vôtres, c'est ça?

Les yeux de Diane sont remplis de larmes.

— Je ne le sais pas, dit-elle d'une voix tremblotante et en se frottant un oeil du revers de la main.

— C'est la chose la plus injuste que j'aie jamais entendue !

J'ai dû parler très fort. D'abord, Tigrou s'est sauvé depuis longtemps et, ensuite, papa et madame Dubreuil surgissent tous les deux sur le pas de la porte.

— Les filles, dit papa d'une voix qu'il essaie de contenir, qu'est-ce qui se passe pour l'amour de Dieu?

— Je vais te dire ce qui se passe, répliqué-je d'un ton qui me surprend moi-même. *Elle* (je pointe Diane) vient juste de m'apprendre qu'on doit quitter notre maison pour *la sienne*. Il semble que tout le monde le savait sauf moi. Pourquoi Diane le savait-elle? Hein? Pourquoi elle et pas moi? Eh bien, je vais te dire une chose… non, deux choses. Un: il n'est pas question que je me débarrasse de Tigrou, même si *elle* (je pointe maintenant madame Dubreuil) n'endure pas les chats. Et deux: je n'ai pas à être d'accord avec cette décision et à me montrer gentille. Voilà.

Je croise les bras et je retombe tellement rudement sur mon lit que j'ai peur de le briser. Mais qu'est-ce que ça peut faire? J'en aurai bientôt un chez les Dubreuil.

Inutile de dire que tout le monde reste sans voix. C'est finalement madame Dubreuil qui rompt le silence.

— Viens, Diane. Je pense que c'est le temps de partir.

Diane pleure très fort, mais je ne m'en soucie pas. Qu'elle pleure! Après tout, elle garde sa maison, elle.

Madame Dubreuil passe son bras autour des épaules de Diane.

— Anne-Marie, me dit-elle alors doucement, je suis désolée que tu aies appris la chose de cette façon. Je peux cependant t'assurer que Tigrou sera le bienvenu dans notre maison.

Puis elle entraîne Diane hors de ma chambre et souffle à papa en passant:

— Appelle-moi plus tard, veux-tu?

— C'est bien, fait calmement papa en s'assoyant à côté de moi.

Je suis encore tellement furieuse que j'éclate:

— Tu ferais mieux d'avoir de bonnes explications à me fournir. (C'est ce que papa me dit très souvent.)

Il ne se fâche même pas de m'entendre parler de cette façon.

— Anne-Marie, commence-t-il, je savais que tu n'aimerais pas cet arrangement. C'est pourquoi je ne t'en avais pas encore parlé. J'attendais le bon moment. Mais il faut que tu saches que c'est la meilleure façon de faire. La maison des Dubreuil étant plus grande, c'est normal que nous allions habiter chez eux plutôt qu'eux chez nous. Diane et Julien pourront garder leurs chambres et tu auras la tienne. La chambre d'ami du haut deviendra ta chambre. Tu pourras y mettre tous tes meubles et la décorer pour qu'elle ressemble exactement à celle que tu as ici. Mais si les Dubreuil venaient s'installer chez nous, toi et Diane devriez partager la même chambre lorsque Julien viendrait nous visiter. Nous avons aussi moins de pièces et leur cour est plus grande. Tu peux comprendre ça, n'est-ce pas?

— Et Tigrou? dis-je pour seule réponse.

— Tu as entendu ce que la mère de Diane a dit. Tigrou sera le bienvenu.

— Mais madame Dubreuil n'aime pas les chats.

— C'est vrai, mais peu importe, elle devra s'y habituer. Il fait partie de notre famille.

— D'accord.

Tigrou entre doucement dans la chambre, saute sur le lit, puis se roule en boule sur mes genoux.

— Pourquoi Diane a-t-elle appris avant moi que nous

allions demeurer chez elle? demandé-je, un peu plus calme.

— C'est ma faute, réplique papa. Lorsque Suzanne et moi avons pris cette décision, nous avons décidé de le dire chacun à notre enfant. Elle a dû l'annoncer tout de suite à Diane et probablement à Julien. Mais je trouvais difficile de t'en parler. Finalement, j'ai trop attendu. Mais Diane croyait que tu l'avais appris en même temps qu'elle.

Je sens les larmes couler sur mes joues.

— Je ne veux pas déménager, soupiré-je. J'ai grandi ici. Claudia a toujours habité en face, et Christine à côté. Lorsque Christine est partie et que les Seguin ont emménagé dans sa maison, j'ai montré à Myriam comment on pouvait se voir d'une fenêtre à l'autre. Ça lui manquera. Et je serai encore plus loin de chez Louis, plus loin de l'école, plus loin de tout... sauf du passage hanté de Diane.

Papa sourit.

— Anne-Marie, ce passage n'est pas hanté. Il n'est même plus secret, puisque tout le monde le connaît.

J'essaie de sourire à mon tour. Puis papa me prend dans ses bras et me serre très fort. Je me sens en sécurité... mais je ne veux toujours pas déménager.

Le jour suivant, je suis soulagée de la façon dont papa a pris ma petite crise, mais je suis toujours fâchée. Je parle très peu à Diane à l'école. Le dîner est particulièrement pénible. Nous faisons toutes les deux semblant d'être heureuses dès qu'une de nos amies nous parle du mariage et du fait de devenir des demi-soeurs. Mais ni Diane ni moi ne parlons du déménagement.

À un moment donné, Diane me chuchote:

— Tu sais, ma mère ne déteste pas vraiment les chats, c'est seulement qu'elle ne les aime pas beaucoup.

Je lui réplique sèchement :

— Elle les déteste !

Comme vous pouvez l'imaginer, je ne suis pas de très bonne humeur lorsque j'arrive chez les Arnaud pour garder cet après-midi-là. Ce n'est pas du tout mon intention de me défouler sur les jumelles, mais je souhaite fermement qu'elles soient elles-mêmes d'humeur pacifique.

Pas de chance. Avant de partir, madame Arnaud m'avertit que Martine répéte son piano dans le salon et que Caroline est en haut, dans sa chambre. Quelque chose dans sa voix me dit qu'il y a de l'orage dans l'air.

Dès que madame Arnaud a quitté la maison, je décide de ne pas interrompre Martine (qui joue avec beaucoup de force), mais plutôt de monter voir Caroline.

Je m'aperçois aussitôt qu'on a encore posé le ruban-cache qui divise la chambre des jumelles en deux. J'imagine que c'est la raison pour laquelle Martine tape sur son piano avec tant de vigueur : elle ne peut pas entrer dans sa propre chambre. Il lui faudrait d'abord traverser le côté de la chambre de sa soeur.

— Salut, dis-je à Caroline. Ta maman vient de partir.

— Bon, fait Caroline avant de retourner à sa lecture.

— Je parie que tu es encore fâchée contre ta soeur, c'est ça?

— Tu veux dire, cette face d'hypocrite?

— Non, je veux dire Martine.

— C'est la même chose.

— Écoute, vous ne pouvez pas être toujours en colère. Quel est le problème cette fois?

— J'ai dit que j'invitais Hélène pour jouer, puis Martine a répliqué qu'elle invitait Gozzie.

— Et alors?

— On ne veut pas jouer toutes ensemble.

— Est-ce que toi et Hélène — ou Martine et Gozzie — ne pourriez pas vous amuser dehors pendant que les autres seraient à l'intérieur?

— Non, nous voulons toutes les deux jouer dans notre chambre.

Je m'assois sur le lit de Martine.

— Tu sais ce qui ne va pas ici? dis-je. Toi et Martine, vous êtes deux filles *très* différentes maintenant. Vous avez besoin de votre propre territoire. Est-ce nécessaire que vous partagiez la même chambre?

— Non, répond Caroline, dont le visage s'illumine tout à coup.

— Alors, pourquoi l'une de vous deux ne déménage pas dans une des autres chambres de l'étage? La chambre de couture, par exemple. Ou la chambre d'ami?

— Oui!

Caroline et moi courons au premier et interrompons la répétition de Martine pour la mettre au courant de notre idée.

— Youpi! s'exclame Martine.

À partir de cet instant, l'après-midi est amusant. Les jumelles se parlent et font des plans. Elles pouffent de rire à tout moment. Elles attendent leur mère avec impatience. Lorsque cette dernière arrive, elles l'accueillent en criant:

— Maman! Maman!

— Quoi? Qu'est-ce qu'il y a? fait madame Arnaud, alarmée.

— Est-ce qu'on pourrait avoir chacune notre chambre? demande Martine.

— Je veux la chambre d'ami! déclare Caroline.

— Je veux la chambre de couture! dit Martine.

Madame Arnaud me regarde sans comprendre. Je hausse les épaules.

— Les filles ont quelques problèmes à partager la même chambre, dis-je. J'ai seulement mentionné des chambres séparées, et...

— Eh bien, fait madame Arnaud, je ne vois pas pourquoi ce ne serait pas possible. Mais votre chambre est tellement jolie comme ça.

— Nous ne sommes plus des bébés, dit Caroline. Et nous sommes deux personnes différentes.

— Mais pourquoi veux-tu la chambre de couture? demande madame Arnaud à Martine. Elle est tellement petite.

— C'est comme ça, reprend Martine. Je l'aime.

— Et moi, j'aime bien la chambre d'ami, dit Caroline. Notre chambre pourrait devenir la chambre d'ami.

Les yeux de madame Arnaud se mettent à briller.

— Ce sera amusant de redécorer, fait-elle. De nouveaux rideaux, de nouveaux tapis, de nouveaux couvre-lits...

— Mais est-ce qu'on pourra choisir nous-mêmes les choses? demande Martine. Et toi, tu décoreras la chambre d'ami comme tu l'entends.

— Marché conclu! dit la mère des jumelles.

Les fillettes se mettent à trépigner de joie et se sautent même au cou l'une de l'autre.

Je repars chez moi avec le sentiment d'avoir accompli quelque chose d'important.

CHAPITRE 13

Jeudi

J'ai gardé Martine et Caroline aujourd'hui. Comme leur mère est efficace lorsque le mot « redécorer » est lancé ! On n'est qu'à quelques semaines de l'idée géniale d'Anne-Marie et déjà les filles ont déménagé dans leurs nouvelles chambres redécorées. La chambre d'amis est encore encombrée de tous les meubles de la chambre de couture et de l'ancienne chambre d'amis, mais je donne quelques jours à madame Arnaud et je parie que ce sera terminé.

De toute façon, les jumelles ont vraiment l'air heureuses, complètement différentes de ce qu'on a déjà écrit à leur sujet dans le journal de bord. Elles montrent leur chambre avec fierté et elles sont même allées ensemble chez les Biron.

— Salut, Sophie ! Salut, Sophie !

Martine et Caroline accueillent Sophie comme si elles étaient toutes trois de grandes amies, ce qui n'est pas le cas. C'est vrai que Sophie les voit plus souvent maintenant qu'elle habite le voisinage, mais elle ne les a pas gardées très souvent.

Il semble que les jumelles soient impatientes de montrer leurs nouvelles chambres. Madame Arnaud n'a pas encore quitté la maison qu'elles entraînent déjà Sophie au deuxième.

— Regarde d'abord ma chambre ! crie Martine.

— Non, la mienne ! fait Caroline.

— La mienne est plus près, explique Martine.

— Bon, d'accord.

En haut de l'escalier, il y avait autrefois la chambre de couture. Elle est petite, mais le soleil y entre à flots. Tous les meubles de Martine y ont trouvé leur place. C'est un peu coincé, mais charmant.

— Nous avons dû déménager mes jouets en bas, mais ça ne fait rien. Regarde le nouveau papier peint, le nouveau tapis et le nouveau couvre-lit. Maman m'a laissée tout choisir.

— Tout en jaune, dit Sophie. C'est très joli.

Sophie trouve la chambre un peu terne, mais elle n'ose pas en parler.

— Viens dans ma chambre maintenant, crie Caroline.

Elles passent donc devant l'ancienne chambre des jumelles, tournent le coin et entrent dans la chambre de Caroline. Quelle différence ! Le tapis à longs poils est bleu; des chats sont imprimés sur le couvre-lit et deux coussins en forme de chat sont posés dessus. Le papier peint est ligné blanc et bleu, et les rideaux s'harmonisent avec le couvre-lit.

— C'est beau, fait Sophie. Je ne savais pas que tu aimais les chats.

— Moi non plus, réplique Caroline, mais quand j'ai vu ça, j'ai su que c'était ce que je voulais. Maman voulait que je prenne des trucs avec plein de fleurs roses...

— Et moi avec des fleurs bleues... ajoute Martine.

— ... mais elle s'est rappelé qu'elle nous laissait choisir à notre goût.

— Je pense que vous avez toutes deux fait un travail excellent, leur dit Sophie. Une chambre doit refléter la personnalité de la personne qui l'habite. Je suis contente que votre mère ait respecté vos choix.

— Nous aussi, font les jumelles d'une même voix.

Sophie reste silencieuse pendant un moment, puis elle dit:

— Eh bien, vous ne vous prenez pas par le petit doigt? Vous venez juste de dire la même chose, en même temps.

— Si on s'était tenu le petit doigt chaque fois que ça nous est arrivé, commence Caroline, ils seraient sûrement collés ensemble. C'est parce que nous sommes jumelles.

— Identiques, mais différentes, ajoute Martine.

C'est amusant comme elles ont changé, pense Sophie. Elles ont maintenant leur propre chambre, leurs propres amis. Mais elles semblent néanmoins plus près que jamais. Est-ce que le fait de se séparer rapprocherait? Ça donne à réfléchir.

— Alors, que voulez-vous faire aujourd'hui? demande Sophie.

— As-tu apporté ta trousse à surprises? fait Caroline.

— Oui.

— Parfait! Y a-t-il des choses nouvelles?

— Venez voir.

Les fillettes courent devant Sophie jusqu'au salon, puis elles attendent que cette dernière ouvre la trousse à surprises.

— Il y a d'abord de nouveaux livres, puis trois feuilles d'autocollants. Plus des pastels au lieu des crayons de couleur. Avez-vous déjà dessiné avec des pastels? On peut même mélanger les couleurs avec les doigts.

— Comme de la craie? demande Martine.

— Oui.

Sophie ouvre la nouvelle boîte de pastels que les deux jumelles examinent.

— Venez les essayer, fait Sophie. Nous irons nous asseoir à la table de la cuisine.

Au beau milieu de son dessin d'un bateau sur l'océan, Martine dit:

— Ce sera pour papa. Non, pour maman. Je ne lui ai pas donné de dessin depuis longtemps. Non, attends. Ce sera pour les deux.

— Le mien sera aussi pour les deux, fait Caroline en regardant de près son papillon.

Intéressant, pense Sophie. Plus de: «Maman va mieux aimer le mien...» ou: «Papa aime toujours mes...». Quel heureux changement!

— Eh, dit Sophie, pourquoi n'encadrez-vous pas vos dessins?

— Comment on fait ça? demande Caroline.

— Comme ça, montre Sophie en découpant deux cadres dans le papier de bricolage et en les collant sur les dessins.

— Merveilleux! s'exclame Caroline.

Elle retourne ensuite son dessin et y inscrit *À maman et à papa — Caroline*. Martine tourne alors le sien et y écrit *À maman et à papa — Martine*.

Sophie s'attend à des étincelles parce que Martine a imité Caroline, mais rien ne se passe. Chaque jumelle fait un autre dessin et lui fabrique un cadre. Une fois qu'elles ont terminé, Caroline va appeler Hélène. Martine surveille sa soeur au téléphone.

— Tu veux que je vienne? répète Caroline dans le récepteur. Laisse-moi d'abord demander à Sophie.

Puis, après avoir mis sa main sur le récepteur, elle dit: — Hélène m'invite chez elle. Est-ce que je peux y aller? Claudia garde là-bas.

— Bien sûr, fait Sophie.

Puis, à la grande surprise de sa soeur:

— Martine, veux-tu venir, toi aussi?

— Oui! s'exclame Martine, les yeux agrandis de joie.

— Parfait, dit Caroline.

— Attendez une minute, les interrompt Sophie. J'aimerais d'abord parler à Claudia.

Sophie et Claudia ont une courte conversation et Claudia dit à son amie que ça lui ferait plaisir qu'elle vienne avec les deux jumelles.

— Pourvu qu'elles ne se chicanent pas, précise-t-elle.

— Non, non. Tout va bien, la rassure Sophie.

Elle met donc la trousse à surprises de côté, laisse une note à madame Arnaud, et elle et les jumelles se rendent chez les Biron. Il fait très beau et Sophie et Claudia s'assoient sur le patio tout en écoutant les fillettes installées un peu plus bas. En plus des jumelles et d'Hélène, il y a aussi Vanessa Picard et Charlotte Jasmin. Matthieu est parti jouer chez les Picard.

— Tu sais, fait Hélène, nous devrions commencer notre club. Maintenant. On est cinq. C'est juste assez.

— Vous *me* voulez dans votre club? s'exclame Martine.

Les autres fillettes se regardent. Finalement, c'est Caroline qui lui répond.

— *Seulement* si tu ne cherches pas à tout diriger. Nous allons te mettre à l'essai pendant trois réunions. Si tu fais la maîtresse d'école, tu sors. D'accord?

— Bon.

Pauvre Martine, pense Sophie. La voilà à l'essai, mais au moins on lui a demandé de faire partie du club.

— Et ton amie Gazelle? demande Vanessa. Penses-tu qu'elle aimerait se joindre à nous, elle aussi?

— Tu veux dire Gozzie? reprend Martine. Oh… oh! je ne sais pas. Je veux dire, je ne pense pas. Elle n'aime pas les clubs.

— D'accord, fait Vanessa en haussant les épaules.

Sophie regarde Claudia.

— Tu sais? dit-elle à mi-voix. Je parie que Gozzie Kunka est une amie imaginaire de Martine. Je crois qu'elle l'a inventée parce qu'elle n'avait pas d'amies.

— Oh! je pense que tu as raison! fait Claudia. Je me demande si Gozzie va disparaître maintenant.

— J'en doute, reprend Sophie. Pas avant que la période d'essai ne soit terminée et que Martine puisse être certaine d'avoir de vraies amies.

Sophie et Claudia se sourient. Ce soir-là, Sophie m'appelle pour me raconter la chose.

— Tu veux dire que Gozzie Kunka est imaginaire? J'aurais dû m'en douter. La fille d'un dignitaire d'un pays étranger vivant à Nouville! Comment ai-je pu être aussi naïve?

Je ne peux m'empêcher de rire. Il y a de quoi.

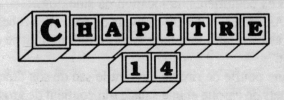

CHAPITRE 14

Moins d'une semaine avant le mariage! Tous les plans sont arrêtés, mais il reste beaucoup de choses à faire.

— Imagine si on avait le grand mariage que nous voulions, dis-je à Diane à l'école.

Comme j'ai eu le temps de digérer l'affaire du déménagement, nous sommes redevenues amies. D'abord, papa et madame Dubreuil ont tous deux accepté de se débarrasser chacun de certains meubles et de combiner ce qui reste dans la maison de Diane.

— Qu'est-ce qu'on va faire de tous les meubles dont on ne veut pas? ai-je demandé à papa.

— On va les mettre dans la grange, m'a-t-il répondu, et probablement en donner à des oeuvres de charité.

Ensuite, j'ai vu, de mes yeux vu, madame Dubreuil caresser Tigrou. Je me sens donc beaucoup mieux.

Enfin, j'ai décidé de redécorer ma chambre chez Diane (tout en gardant la plupart de mes vieux meubles), et Claudia a dit qu'elle m'aiderait. Elle a fait la même chose lorsque Sophie est revenue vivre à Nouville.

Diane me répond donc:

— Je sais. Ça nous aurait pris un an à planifier un tel mariage.

— Les fleurs, le traiteur...

— Les couturières, la location de smoking...

— Au moins, nous allons avoir de nouvelles robes, dis-je. Tu as bien failli tout faire rater en retirant tout ce qu'on voulait.

Diane pouffe de rire en ouvrant le sac de son dîner, des bâtonnets de carotte et une salade qui contient de gros morceaux de tofu. Nous sommes à la même table que nos amis à la cafétéria et Christine se bouche le nez en s'exclamant:

— Pouah! Des aliments naturels!

Diane regarde ce que Christine a apporté.

— Jamais, au grand jamais, je ne pourrais manger quelque chose qui gigote, fait-elle en pointant le bol de gelée de Christine.

— Le tofu gigote lui aussi, dit Christine.

— Non. C'est solide.

Comme preuve, Diane secoue sa salade. Rien. Puis elle regarde la gelée qui danse dans l'assiette de Christine. Nous rions tous comme des fous.

— Parlez-nous de vos robes, lance Claudia. (On peut se fier à elle pour ramener une conversation sur la mode.)

— Nous aurons chacune une robe neuve, mais pas pareilles puisque nous ne sommes pas demoiselles d'honneur. Nous serons assises dans la chapelle avec tous les autres.

— Et maman, ajoute Diane, a trouvé une très jolie robe rose pâle à taille basse. Elle a l'air un peu ancienne, un peu dix-neuf cent vingt.

— Et vous ne me croirez pas, dis-je à mon tour, mais la

mère de Diane a convaincu papa de s'acheter un nouveau complet et des chaussures neuves. Je ne me rappelle pas la dernière fois qu'il s'en est acheté.

Il y a une petite pause, puis Louis me demande :

— À quand le grand départ ?

Diane et moi, nous nous regardons. Le sujet est délicat. Je suis réconciliée avec l'idée du déménagement, mais je n'ai pas encore pardonné à papa de ne pas me l'avoir dit plus tôt.

— Papa a déjà remisé certains meubles dans la grange de Diane. Il n'y aura pas de grand déménagement.

— Maman a aussi mis des choses dans la grange, ajoute Diane.

— Le reste sera transporté le lendemain du mariage lorsque nos parents reviendront de l'*Auberge des Lilas*. Quelle journée ce sera ! Papa voudra tout placer tout de suite et la mère de Diane...

— ... pourrait tout laisser traîner pendant des mois, termine Diane.

— Si je peux t'aider, fait Louis en me serrant la main, tu m'avertis.

Diane et moi marchons ensemble une partie du chemin du retour ce jour-là.

— On n'en a jamais parlé, fait Diane, mais on ne sait toujours pas comment on va appeler nos beaux-parents.

— On pourrait peut-être les appeler par leur prénom, dis-je, mais je serais intimidée d'appeler ta mère Suzanne.

— Et je me sentirais toute drôle d'appeler ton père Richard.

— On pourrait dire maman et papa, suggéré-je en riant.

— Non, belle-maman et beau-papa! s'écrie Diane. Ça les réconforterait.

— Pourquoi pas Antoine et Antoinette? dis-je.

Diane se tord de rire.

— Anne-Marie, ajoute-t-elle une fois calmée, on s'amuse tellement lorsqu'on ne se querelle pas. Pourquoi ne pas partager ma chambre après tout? On pourrait parler tard le soir et partager des secrets. On pourrait faire nos devoirs ensemble. N'est-ce pas ce que font des soeurs? J'ai toujours voulu une soeur.

— Moi aussi.

— Alors pourquoi ne pas avoir la même chambre? Ce sera un peu serré avec un deuxième lit et une commode, mais on sera bien.

Je commence à me sentir excitée.

— Ça ne te ferait rien d'avoir Tigrou dans la chambre le soir? Il dort toujours avec moi.

— Non, j'aimerais ça. Penses-tu qu'il dormirait parfois avec moi?

— Peut-être.

— Nous pourrions aussi partager nos garde-robes! s'exclame Diane, enthousiaste. Nous avons presque la même taille. Ça nous fera deux fois plus de robes.

— Oh! parlant de garde-robe, j'ai pensé, dis-je, que comme nos parents n'auront pas un mariage traditionnel, ta mère devrait au moins porter quelque chose d'antique, quelque chose de neuf, quelque chose d'emprunté, et quelque chose de bleu la journée du mariage. Comme les vieux le disent, ça porte chance. Ne penses-tu pas?

— Oui, fait Diane en hochant la tête. Voyons voir. Sa broche est antique, elle emprunte un collier de ma grand-mère, ses boucles d'oreilles sont des saphirs, mais... quelque chose de neuf, hummm. Je me demande si sa robe compte. La plupart des mariées ont des robes neuves. Je lui en parlerai, d'accord?

— D'accord.

L'après-midi suivant, madame Dubreuil (oh! pardon, Suzanne) nous amène magasiner, Diane et moi. Nous allons d'abord dans un grand magasin où nous ne trouvons rien ni l'une ni l'autre. Nous entrons dans une petite boutique où la mère de Diane refuse même de regarder.

— C'est punk là-dedans, fait-elle.

Nous allons finalement dans un petit centre commercial où Diane trouve une robe du genre matelot. Le cas de Diane est donc réglé. Je regarde d'autres robes, mais rien ne me plaît. Puis, ça me frappe tout à coup! Ce que j'aimerais porter, c'est la jolie robe à fleurs que portait Diane au souper d'anniversaire de sa mère.

— Hé, colocataire, dis-je, est-ce que je peux porter la robe que tu portais le soir de la fête?

— Oui, colocataire! réplique-t-elle. Tu vois comme ce sera agréable lorsque nous vivrons ensemble?

Je vois, en effet.

Le jeudi soir, Julien arrive de Californie. Papa, Diane, sa mère, les triplets Picard et moi allons le chercher à l'aéroport. Les triplets seront les invités de Julien au mariage. Il a appelé de Californie pour le leur demander.

Nous sommes donc tous les sept à l'aéroport à vingt heures trente, avec une grande pancarte tenue à bout de bras: BIENVENUE, JULIEN. J'en mourrais si quelqu'un venait m'attendre avec une telle pancarte, mais on m'a dit que Julien adorerait ça et ils avaient bien raison.

— Salut, tout le monde! lance-t-il en apercevant la pancarte.

Nous l'entourons en riant, en l'embrassant et en parlant tous en même temps. Julien nous montre tout ce qu'il a récolté de son voyage en avion: des sachets de sel et de poivre, une fourchette en plastique, un magazine et un savon qu'il offre à sa mère.

— Alors, comment on se sent de l'autre côté du continent? demande mon père à Julien lorsque nous nous dirigeons vers la familiale des Picard que nous avons empruntée pour l'occasion.

— Parfait, monsieur, répond Julien.

Je me rends soudain compte que Julien et mon père se connaissent à peine.

— Tu peux m'appeler Richard, dit papa, ou comme tu préfères, pourvu que tu te sentes à l'aise.

— D'accord, monsieur, dit Julien avant de courir rattraper les triplets.

Papa regarde Suzanne qui lui dit:

— Laisse-lui le temps de s'habituer.

Je me sens désolée pour papa.

Le soir avant le mariage, la future famille Lapierre-Dubreuil a un petit souper tranquille chez Diane. Julien est toujours aussi poli dès qu'il s'adresse à papa, l'appelant toujours monsieur. Il mentionne aussi que lui et son père assistent souvent à des matchs sportifs en Californie.

Papa a un mouvement de recul. Je crois qu'il n'a jamais assisté à un seul événement sportif. Puis, Julien prononce le nom de Carole, et nous découvrons que c'est l'amie de son père. C'est au tour de Suzanne de sursauter. Je fais le tour de la table des yeux : Diane, Suzanne, papa, Julien et moi. C'est ma nouvelle famille. Je pense que je vais bien l'aimer.

Après le souper, nous regardons la télé avec Julien, puis nous montons dans la chambre de Diane.

— Tu vois, me dit-elle. Ton lit pourrait aller ici. Et ton bureau près du mien. Chaque soir, nous ferons nos devoirs ensemble.

— Et j'entasserai mes vêtements dans ta penderie. Comme ça, nous pourrons tout partager.

Diane tend sa main dans laquelle je frappe la mienne.

— Soeurs? fait-elle.

— Soeurs, dis-je.

CHAPITRE 15

Mon excitation du vendredi soir n'est rien comparée à celle que je ressens le samedi matin au réveil.

C'est le jour du mariage! Ce soir, j'aurai officiellement une demi-sœur, un demi-frère et une belle-mère. Papa et moi ne serons plus jamais seuls.

Mais pourquoi ne suis-je pas réconfortée à cette pensée? Papa et moi étions très bien ensemble pour faire face à la vie. Est-ce que je veux réellement que ça change? Puis, je pense à la possibilité de partager une chambre avec Diane et de discuter de problèmes de fille avec Suzanne.

— Anne-Marie!

C'est mon père. Je lui crie que j'arrive.

Le mariage aura lieu à midi dans la chapelle de l'église. Ensuite, tout le monde est invité à dîner Chez *Maurice*. Le maître d'hôtel nous a réservé une table pour vingt personnes dans une petite salle fermée. J'ai hâte de voir ça.

Je passe presque tout l'avant-midi à m'habiller. J'appelle Diane au moins six fois pour avoir son avis et je demande finalement à Claudia de venir m'aider. Cette dernière décide de me maquiller en m'affirmant que personne ne s'en apercevra. Elle va aussi me faire des tresses françaises.

À onze heures, je suis fin prête. La robe de Diane me va bien, même si elle est un peu plus longue sur moi. Claudia m'a mis un peu de rose sur les lèvres, du poli transparent sur les ongles, du mascara clair sur les cils et un soupçon de rouge sur les joues. Elle a ensuite soigneusement coiffé mes cheveux. Je me sens un peu triste que Diane n'ait pas Claudia pour l'aider, mais, après tout, elle a une mère... et bientôt j'en aurai une.

Lorsque Claudia s'en va, papa a fini de s'habiller. Il vient me montrer son nouveau complet gris et ses chaussures neuves.

— Tu es très jolie, ma grande, me dit-il doucement. Et tellement féminine. Je suis certain que Claudia fera carrière comme modéliste ou esthéticienne.

— Non, elle veut devenir une artiste.

— Anne-Marie, viens t'asseoir un moment près de moi.

Une fois que je suis assise, je remarque qu'il tient une boîte dans ses mains.

— C'est pour toi, ouvre-la, me dit-il.

Je l'ouvre et j'aperçois un collier de perles.

— Pour moi? ne puis-je m'empêcher de m'exclamer.

— Oui. Il appartenait à ta mère et je voulais t'en faire présent le jour de tes seize ans, mais je pense qu'aujourd'hui est plus approprié. Veux-tu que je te l'attache?

— Oui, dis-je en essayant de ne pas pleurer.

Lorsque papa a fini, je me regarde dans le miroir. Je n'arrive pas à croire que cette belle et grande jeune fille, c'est moi.

— Bon, es-tu prête à partir? demande papa. Le pasteur

tient à ce que nous soyons là un peu plus tôt, Suzanne et moi, pour revoir certains détails de la cérémonie.

— Je suis prête.

J'embrasse Tigrou, puis papa et moi quittons la maison. Les Dubreuil arrivent en même temps que nous à l'église, ce qui est un miracle en soi, parce que Suzanne est toujours en retard. Il y a du Diane là-dessous. Cette dernière est d'ailleurs très jolie dans sa nouvelle robe, alors que Julien est élégant mais paraît mal à l'aise dans ce qui semble un costume neuf.

Papa et Suzanne s'étreignent, puis Diane et moi le faisons à notre tour. Julien se tient à distance, l'air embarrassé.

Une demi-heure plus tard, la cérémonie commence. Diane, Julien, ses grands-parents et moi, nous nous assoyons dans la première rangée. Derrière, il y a Christine, Louis, Jessie, Marjorie, Sophie et Claudia. Plus loin, des collègues de travail de papa et de Suzanne, et les triplets.

La chapelle est jolie et les parents de Suzanne ont envoyé deux grosses gerbes de fleurs qui ont été placées de chaque côté de l'autel.

Nous sommes assis calmement et l'orgue se met à jouer. Puis, mon père et Suzanne arrivent de l'arrière de l'église. Suzanne porte un bouquet de roses. Papa et Suzanne ont juste fait trois pas que je me mets à pleurer. Tout est si… émouvant. Je touche mon collier de perles et les larmes coulent de plus belle.

Diane me pousse du coude en me demandant si j'ai des mouchoirs de papier. Bien sûr, j'en ai toujours.

Papa et la mère de Diane sont à mi-chemin de l'allée lorsque je remarque les triplets qui font des signes à Julien en pointant des petits anges nus qui batifolent dans les nuages d'une fresque. Je cesse de pleurer pendant dix secondes. Puis, papa et Suzanne atteignent l'autel et s'arrêtent devant le pasteur. Mes larmes se remettent à couler. Je sors vite un mouchoir de mon sac et je m'éponge les yeux. Oh! non! il devient tout noir! Mon mascara coule. Je me tourne vers Diane.

— Est-ce que je ressemble à un raton laveur?

— Oui, me répond-elle.

Je me concentre tellement pour tout enlever que je perds une partie de la cérémonie. Je lève les yeux lorsque j'entends le pasteur qui dit:

— Je vous déclare mari et femme. Vous pouvez embrasser la mariée, ajoute-t-il en s'adressant à papa.

Oh! *mon père* va *embrasser la mère de Diane* devant tous ces gens? Oh, *non*! Les triplets se remettent à se pousser du coude et à rire sous cape. Je ne peux pas regarder papa, aussi je sors un autre mouchoir de mon sac pour m'essuyer les yeux. Cette fois c'est l'ombre à paupières bleue qui déteint. Eh bien, il n'y a plus grand-chose que je puisse faire maintenant.

Je surveille papa et la mère de Diane qui redescendent l'allée, le sourire aux lèvres. Ils sont mariés! Je n'arrive pas à y croire. J'ai maintenant une nouvelle famille.

Le dîner Chez *Maurice* commence bien. J'adore le salon privé où on a dressé la grande table.

Dès que le serveur a pris les commandes, je demande à Diane si sa mère a trouvé quelque chose de neuf à porter.

— Oui, me chuchote-t-elle en souriant, elle porte des sous-vêtements neufs.

Elle me parle ensuite de la soirée que l'on passera toutes les deux chez moi quand nos parents seront à l'auberge et Julien chez les Picard. Même si tout est à moitié emballé, je tenais à passer la dernière nuit dans ma maison.

Mes amis et moi parlons en attendant le repas. Lorsque nous commençons à manger, j'observe papa qui offre une bouchée de son veau à Suzanne qui détourne la tête. Papa a l'air un peu vexé. Tout le monde mange avec appétit alors que Diane et Julien trouvent qu'il n'y a pas assez de plats de légumes au menu. J'essaie de penser à autre chose pour ne pas gâcher cette fête.

Mais, au même moment, j'entends Suzanne qui dit quelque chose comme: «... cette litière qui doit être nettoyée tous les jours».

Humm. Pour son information, Tigrou utilise rarement sa boîte de litière. Il va à l'extérieur qu'il considère comme une grande salle de toilettes. Et s'il lui arrive d'utiliser sa boîte, c'est moi qui la nettoie. Je me sens soudain d'humeur grincheuse. Je pense à la maison en désordre des Dubreuil. Je revois ma chambre et je sais qu'elle me manquera. Au même moment, Diane me tend une petite boîte.

— C'est un cadeau de «nouvelles sœurs», dit-elle, à ma grande surprise.

C'est une magnifique barrette en argent. Je devrais être reconnaissante, mais je m'en veux trop de n'avoir pas moi-même pensé lui offrir un tel cadeau.

— Merci, Di...

Mais voilà que Suzanne se lève de table.

— C'est maintenant l'heure de lancer le bouquet! annonce-t-elle. Que toutes les filles et toutes les femmes non mariées se tiennent dans ce coin de la salle, fait-elle en pointant du doigt. Celle qui attrapera le bouquet sera la prochaine mariée.

Toutes se précipitent en se bousculant. Diane et moi réussissons à nous placer au premier rang du groupe.

Madame Dubreuil monte sur une chaise, puis nous tourne le dos et lance le bouquet par-dessus son épaule. Il arrive droit sur Diane et moi. Nous sautons toutes les deux pour l'attraper.

(La suite dans le livre n° 31...)

Quelques notes sur l'auteure

Pendant son adolescence, ANN M. MARTIN a gardé beaucoup d'enfants, à Princeton, au New Jersey. Maintenant, elle ne garde plus que Mouse, son chat, qui vit avec elle dans son appartement de Manhattan, dans le centre de New York.

Elle a publié plusieurs autres livres dans la collection *Le Club des baby-sitters*.

Elle a été directrice de publication de livres pour enfants, après avoir obtenu son diplôme du Smith College.

29

MARJORIE ET LE MYSTÈRE DU JOURNAL

Quatre gardiennes fondent leur club

LES BABY-SITTERS

Ann M. Martin

CHAPITRE 1

Le bouquet de mariée de maman jaillit dans les airs. Anne-Marie, ma nouvelle demi-soeur, et moi, nous bondissons pour l'attraper. À la dernière fraction de seconde, le bras d'Anne-Marie semble allonger de plusieurs centimètres, et elle happe le bouquet en plein vol!

Je peux pas y croire!

C'est le bouquet de ma mère. C'est à moi qu'il revenait. En fait, ce n'est pas tout à fait vrai. Je ne connais aucune règle qui dit que le bouquet d'une mère revient automatiquement à sa fille. Et puis, il y avait beaucoup d'autres femmes derrière Anne-Marie et moi qui voulaient toutes l'attraper. Pourquoi? Parce que selon un vieil adage, la jeune femme qui attrape le bouquet de la mariée sera la suivante à célébrer son mariage.

D'accord, Anne-Marie et moi, nous n'avons que treize ans et le mariage ne compte pas parmi nos projets à court terme, mais il me semble tout de même que j'aurais dû avoir le bouquet de ma mère. Quoi qu'il en soit, Anne-Marie a probablement essayé plus fort. Après tout, elle a un copain, Louis Brunet, et elle espère vraisemblablement qu'ils se retrouveront un jour devant l'autel.

Anne-Marie brandit triomphalement le bouquet au bout de ses bras.

— Je l'ai attrapé! crie-t-elle.

Bien sûr qu'elle l'a attrapé. Elle a pratiquement renversé les autres filles pour y arriver. Je ne vois pas ce qui l'étonne tant.

— Bravo, Anne-Marie! lance Christine Thomas, l'une de ses meilleures amies.

Je me laisse à mon tour entraîner par la joie et la gaieté qui règnent autour de moi. Anne-Marie est extrêmement timide et c'est l'une des personnes les plus humaines de la Terre. C'est aussi ma meilleure amie, et maintenant ma demi-soeur. De plus, elle a un petit ami tandis que je n'en ai pas. En fin de compte, ça ne m'ennuie pas trop qu'elle ait attrapé le bouquet.

— Félicitations… soeurette! dis-je en l'embrassant.

Anne-Marie, qui a toujours la larme à l'oeil, se met aussitôt à pleurer.

— Soeurette, répète-t-elle. C'est vrai. Nous sommes demi-soeurs, maintenant.

— Non, de vraies soeurs, dis-je.

— Merci… soeurette, réplique Anne-Marie d'une voix émue.

Voici un avant-goût de ce qui se passe dans certains autres livres de cette collection:

#1 Christine a une idée géniale

Christine a une idée géniale: elle décide de former le Club des baby-sitters avec ses amies Claudia, Sophie et Anne-Marie. Toutes les quatre adorent les enfants, mais en fondant leur Club, elles n'avaient pas envisagé les appels malicieux, les animaux au comportement étrange et les tout-petits déterminés à s'affirmer. Diriger un Club de baby-sitters n'est pas aussi facile qu'elles l'avait imaginé, mais Christine et ses amies ne laisseront pas tomber.

#2 De mystérieux appels anonymes

Lorsqu'elle effectue des gardes, Claudia reçoit de mystérieux appels téléphoniques. S'agit-il du Voleur Fantôme dont on parle tant dans la région? Claudia raffole des histoires à énigmes, mais pas quand elle fait partie de la distribution.

#3 Le problème de Sophie

Pauvre Sophie! Ses parents se sont mis en tête de trouver une cure miracle pour son diabète. Mais ce faisant, ils lui compliquent l'existence. Et comme le Club des baby-sitters est en guerre contre l'Agence de baby-sitters, comment ses amies peuvent-elles aider Sophie tout en luttant pour la survie du Club?

#4 Bien joué Anne-Marie!

Au sein du Club des baby-sitters, Anne-Marie est plutôt effacée. Et voilà qu'une grosse querelle sépare les quatre amies. En plus de manger seule à la cafétéria, Anne-Marie doit garder un enfant malade sans aucune aide des autres membres du Club. Le temps est venu de prendre les choses en mains!

#5 Diane et le terrible trio

Ce n'est pas facile d'être la dernière recrue du Club des baby-sitters. Diane se retrouve avec trois petits monstres sur les bras. De plus, Christine croit que les choses allaient mieux sans Diane. Mais qu'à cela ne tienne, Diane n'a pas l'intention de s'en laisser imposer par personne, pas même par Christine.

#6 Christine et le grand jour

Le grand jour est enfin arrivé: Christine est demoiselle d'honneur au mariage de sa mère! Et, comme si ce n'était pas suffisant, elle et les autres membres du Club des baby-sitters doivent garder quatorze enfants. Seul le Club des baby-sitters est en mesure de relever un tel défi.

#7 Cette peste de Josée

Cet été, le Club des baby-sitters organise une colonie de vacances pour les enfants du voisinage. Claudia est tellement contente; ça va lui permettre de s'éloigner de sa peste de grande soeur! Mais sa grand-mère Mimi a une attaque qui la paralyse... et tous les projets d'été sont chambardés.

#8 Les amours de Sophie

Qui veut garder des enfants quand il y a de si beaux garçons alentour? Sophie et Anne-Marie partent travailler sur une plage du New Jersey et Sophie est obnubilée par un beau sauveteur du nom de Scott. Anne-Marie travaille pour deux... mais comment pourra-t-elle dire à Sophie sans lui briser le coeur que Scott est trop vieux pour elle?

#9 Diane et le fantôme

Des escaliers qui craquent, des murs qui parlent, un passage secret... il y a sûrement un fantôme chez Diane! Les gardiennes et un de leurs protégés baignent dans le mystère. Vont-elles réussir à le résoudre?

#10 Un amoureux pour Anne-Marie

La douce et timide Anne-Marie a grandi... et ses amies ne sont pas les seules à l'avoir remarqué. Louis Brunet est amoureux d'Anne-Marie! Il est beau comme un coeur et veut se joindre au Club des baby-sitters. La vie du Club n'a jamais été aussi compliquée... ni amusante!

11 Christine chez les snobs

Christine vient de déménager et les filles du voisinage ne sont pas très sympathiques. En fait... elles sont snobs. Elles tournent tout au ridicule, même le vieux colley Bozo. Christine est enragée. Mais si quelque chose peut venir à bout d'une attaque de pimbêches, c'est bien le Club des baby-sitters. Et c'est ce qu'on va voir!

#12 Claudia et la nouvelle venue

Claudia aime beaucoup Alice, toute nouvelle à l'école. Alice est la seule à prendre Claudia au sérieux. Claudia passe tellement de temps avec Alice, qu'elle n'en a plus à consacrer au Club et à ses anciennes amies. Ces dernières n'aiment pas ça du tout!

#13 Au revoir, Sophie, au revoir!

Sophie et sa famille retournent vivre à Toronto. Cette nouvelle suscite beaucoup de pleurs et de grincements de dents! Les membres du Club veulent souligner son départ de façon spéciale et lui organiser une fête qu'elle n'oubliera pas de si tôt. Mais comment dit-on au revoir à une grande amie?

#14 Bienvenue, Marjorie!

Marjorie Picard a toujours eu beaucoup de succès en gardant ses frères et soeurs plus jeunes. Mais est-elle assez fiable pour entrer dans le Club des baby-sitters? Les membres du Club lui font passer toutes sortes de tests. Marjorie en a assez... Elle décide de fonder son propre club de gardiennes!

#15 Diane... et la jeune Miss Nouville

Mme Picard demande à Diane de préparer Claire et Margot au concours de Jeune Miss Nouville. Diane tient à ce que ses deux protégées gagnent! Un petit problème... Christine, Anne-Marie et Claudia aident Karen, Myriam et Charlotte à participer au concours, elles aussi. Personne ne sait où la compétition est la plus acharnée: au concours... ou au Club des baby-sitters!

#16 Jessie et le langage secret

Jessie a eu de la difficulté à s'intégrer à la vie de Nouville. Mais les choses vont beaucoup mieux depuis qu'elle est devenue membre du Club des baby-sitters! Jessie doit maintenent relever son plus gros défi : garder un petit garçon sourd et muet. Et pour communiquer avec lui, elle doit apprendre son langage secret.

#17 La malchance d'Anne-Marie

Anne-Marie trouve un colis et une note dans sa boîte aux lettres. «Porte cette amulette, dit la note, ou sinon.» Anne-Marie doit faire ce que la note lui ordonne. Mais qui lui a envoyé cette amulette? Et pourquoi a-t-elle été envoyée à Anne-Marie? Si le Club des baby-sitters ne résout pas rapidement le mystère, leur malchance n'aura pas de fin!

#18 L'erreur de Sophie

Sophie est au comble de l'excitation! Elle a invité ses amies du Club des baby-sitters à passer la longue fin de semaine à Toronto. Mais quelle erreur! Décidément, les membres du Club ne sont pas à leur place dans la grande ville. Est-ce que cela signifie que Sophie n'est plus l'amie des baby-sitters?

#19 Claudia et l'indomptable Bélinda

Claudia n'a pas peur d'aller garder Bélinda, une indomptable joueuse de tours. Après tout, une petite fille n'est pas bien dangereuse... *Vraiment?* Et pourquoi Claudia veut-elle donc abandonner le Club? Les baby-sitters doivent donner une bonne leçon à Bélinda. La guerre des farces est déclarée!

#20 Christine face aux Matamores

Pour permettre à ses jeunes frères et à sa petite soeur de jouer à la balle molle, Christine forme sa propre équipe. Mais les Cogneurs de Christine ne peuvent aspirer au titre de champions du monde avec un joueur comme Jérôme Robitaille, dit La Gaffe, au sein de l'équipe. Cependant, ils sont imbattables quand il s'agit d'esprit d'équipe!

#21 Marjorie et les jumelles capricieuses

Marjorie pense que ce sera de l'argent facilement gagné que de garder les jumelles Arnaud. Elles sont tellement adorables! Martine et Caroline sont peut-être mignonnes... mais ce sont de véritables pestes. C'est un vrai cauchemar de gardienne — et Marjorie n'a pas dit son dernier mot!

#22 Jessie, gardienne... de zoo!

Jessie a toujours aimé les animaux. Alors, lorsque les Mancusi ont besoin d'une gardienne pour leurs animaux, elle s'empresse de prendre cet engagement. Mais quelle affaire! Ses nouveaux clients ont un vrai zoo! Voilà un travail de gardienne que Jessie n'oubliera pas de si tôt!

#23 Diane en Californie

Le voyage de Diane en Californie est encore plus merveilleux qu'elle ne l'avait espéré. Après une semaine de rêve, elle commence à se demander si elle ne restera pas sur la côte ouest avec son père et son frère... Diane est Californienne de coeur... mais pourra-t-elle abandonner Nouville pour toujours?

#24 *La surprise de la fête des Mères*

Les baby-sitters cherchent un cadeau spécial pour la fête des Mères. Or, Christine a une autre de ses idées géniales : offrir aux mamans une journée de congé... sans enfants. Quel cadeau ! Mais la mère de Christine réserve elle aussi une surprise à sa famille...

#25 *Anne-Marie à la recherche de Tigrou*

L'adorable petit chat d'Anne-Marie, a disparu ! Les baby-sitters ont cherché Tigrou partout, mais il reste introuvable. Anne-Marie a alors reçu une lettre effrayante par la poste ! Quelqu'un a enlevé son chat et exige une rançon de cent dollars ! Est-ce une blague ou Tigrou a-t-il vraiment été enlevé ?

#26 *Les adieux de Claudia*

Mimi vient de mourir. Claudia comprend qu'elle était malade depuis longtemps, mais elle en veut à sa grand-mère de l'avoir abandonnée. Maintenant, qui aidera Claudia à faire ses devoirs ? Qui prendra le thé spécial avec elle ? Pour éviter de penser à Mimi, Claudia consacre tous ses moments libres à la peinture et à la garde d'enfants. Elle donne même des cours d'arts plastiques à quelques enfants du voisinage. Claudia sait bien qu'elle doit se résigner et accepter le départ de Mimi. Mais comment dit-on au revoir à un être cher... pour la dernière fois ?

#27 *Jessie et le petit diable*

Nouville a la fièvre des vedettes ! Didier Morin, un jeune comédien de huit ans, revient habiter en ville et tout le monde est excité. Jessie le garde quelques fois et, même si les autres enfants le traitent de « petit morveux », elle aime bien Didier. Après tout, c'est un petit garçon bien ordinaire...

#28 Sophie et de retour

Les parents de Sophie divorcent. Sophie accepte difficile-
ment cette situation et voilà qu'en plus, elle a un choix à
faire : vivre avec son père ou avec sa mère ; vivre à Toronto
ou à... Nouville. Quelle décision prendra-t-elle ?

#29 Marjorie et le mystère du journal

Sophie, Claudia et Marjorie découvrent une vieille malle
au grenier de la nouvelle maison de Sophie. Tout au fond
de la malle se cache un journal intime. Marjorie réussira-
t-elle à percer le mystère du journal ?

TOUT LE MONDE GAGNE
avec
LES BABY-SITTERS

SUPER CONCOURS

RELÈVE LE DÉFI! Tu n'as qu'à répondre aux trois questions ci-dessous pour gagner l'un de ces 15 000 superbes prix!

C'EST FACILE! Inscris tes trois réponses sur le coupon de participation ci-dessous, remplis-le correctement et retourne-le à l'adresse indiquée avant le **31 décembre 1993**.

500 T-SHIRTS BABY-SITTERS

15 000 PRIX À GAGNER!

2 000 CARNETS DE NOTES BABY-SITTERS

12 500 ENSEMBLES DE SIGNETS DES HÉROÏNES DES BABY-SITTERS

QUESTIONS DU CONCOURS

1 QUI EST ORIGINAIRE DE TORONTO? _____

2 QUI DIRIGE L'ÉQUIPE DES «COGNEURS»? _____

3 QUI RAFFOLE DES FRIANDISES? _____

Nom: _____ Âge: _____

Adresse: _____

Ville: _____ Prov.: _____ Code postal: _____

Où t'es-tu procuré cet exemplaire de la série *Les Baby-Sitters*?

❑ librairie ❑ bibliothèque ❑ dépanneur
❑ pharmacie ❑ salon du livre ❑ autre (spécifier) _____

Retourne ce coupon à l'adresse suivante:
Concours LES BABY-SITTERS Tout le monde gagne!
300 rue Arran, Saint-Lambert (Québec) J4R 1K5

Tous les règlements de ce concours peuvent être obtenus aux Éditions Héritage inc.